こちら葛飾区亀有公園前派出所⑩

JN242198

社文庫

治

こちら葛飾区亀有公園前派出所⑩

目次

これぞ模《も》型《けい》道《みち》の巻《まき》

ばかもの!
まったくおまえというヤツは!!
冬の交通安全
いくつになってもプラモばかりつくりおってまったく!
仕事中にプラモなどつくるとは!
部長!
なんだ!?
本署からお電話です!
いいところで小休止になった15分もどなられっぱなしだ!
原因は先輩じゃないですか

だってよ！人の趣味にいちいち口だされても…
こら両津《りょうつ》！
だれがムダ話しろと言った!?おまえというヤツは…!!
はいはい！ごもっとも！
部長のおっしゃる通り！
部長の家
あなた！「帆船《はんせん》の会《かい》」の船田《ふなだ》さんからどのくらいすすんだかって電話がありましたよ
わかった！ご苦労！

簡単にできると思い手を 出した帆船模型だが
こんなにむずかしいとは思わなかった！図面を見ても組み方が よくわからん！
豪語した手まえ船田から聞くのも悔しいし…う〜む
外側板の長さがたりないのをどうやって船体に張ったらいいんだ!? 不良品だぞこのキットは!?
そうか！両津がいた！あいつ昔帆船つくっていたことがあったな！
しかし 今日プラモづくりをしかったばかりだな！
ちょっとまずいな！うーむ しかしこのままじゃ船は一歩も すすまんし…
冬の交通安全週

…というわけでちょっと見てくれ!
きのう あんなにおこってた部長がどうしたんだろう?
何か変ね!
ようやく外板張りまでこぎつけて片側は張れたんだがもう一方が張れない
1/45KIT
HOBBY KIT SAILING SHIP
SANTA MARIA
わしが思うに図面か部品がまちがってるように思うんだが…
帆船模型ですか!?
あっ おまえたち
友人の帆船マニアにすすめられてわしも挑戦してみたのだが…
わからない所が多くて両津に聞こうと思ってな!

図面も部品も異常はありませんよ
なに!? それならなぜ板が短いのだ!?
片側から先に外板を張れば船体がそるのはあたりまえじゃないですか!
ふつう張る場合右を張ったら左と両側から張っていくんですよ
そ そんなこと図面に かいてなかったぞ!
帆船をつくる人間なら知ってて当然のことですよ!
サンタ・マリアかいい形ですね
なに!? サンタ・マリアと言うのかこの船!?
部長! まさか船の名も知らずに製作してるんじゃないでしょうね!
えっ 知らないと 何か まずいのか!?
部長! ちょっときなさい!
そこにすわりなさい!

そもそも模型とはただ組みたてるだけでなくその本質も知らないと無意味なものになってしまうのですよ
今のあなたがそれです！
このサンタ・マリア号といえばあのコロンブスが「ジパング」を目指して旅立った船でしょうが！
船歴を知ることによって当時の配色装飾など参考資料をあつめ研究して仕上げていくのですよ！
きのう私がつくっておこられた戦車もしかり！活躍した時代背景などを知りよりリアルに製作する
それが模型道の真髄です
小学生みたいに図面通りくっつけておしまいという低レベル！
今のあなたがそれです！
この帆船模型はただの趣味ではないんですよ！それを知らねばいけません
堅物の部長に理解していただくためにアホでもわかる絵で説明しましょう
くそ〜〜〜ッおこりたいがおこれん…
トン

コロンブスが新大陸を発見してから 各国もきそって船づくりに力をあげ 一大航海ブームとなったのである
複雑な帆船は図面だけでは把握が むずかしいので その船の模型を いっしょに製作した
こうすれば スポンサーである王様もわかりやすい
採用されれば有名になるチャンスとばかり職人達は腕をふるいすばらしい船の模型をどんどん つくったという
これが帆船模型の起こりで いつしか船は貴族のシンボルとなり部屋に かざられるようになったのです
このように奥のふかい帆船模型をまったく知らぬ無知 無教養のかたまり！
今のあなたがそれです！
わしが悪いのはじゅうぶんわかった
あと一か月でこの船を完成させたいんだ協力をたのむよ！

ばか言っちゃ いけませんよ 一か月で 完成なんて ムリですよ
帆船の会の 人たちは一隻 三か月で 完成すると 言ってたぞ
ベテランだから その日数で 完成できるの です
素人は 一隻一年! 部長など 不器用だから 一隻五年と みるべきだ!
そ… そんなに かかるのか …
帆船は別名 根気模型と よばれるほど 手間の嵐です
まして はじめて サンタ・マリアを つくるなど 言語道断!
免許とりたての 女が いきなり F1《エフワン》に乗って インディ 500マイルレースに 出るようなもんです
まずはバイキングから はじまり アルバトロス ハーフムーン カティ・サークときて このサンタ・マリアに たどりつく! 私でさえその道を たどったのです 中学生の頃にね!
VIKING SKIB
HALF MOON
ALBATROS
CUTTY SARK
SANTA MARIA
もう おっしゃる通り ごもっとも 講釈!
テクニックの ほうも はやくおしえて もらいたいの ですが…
うむ よろしい!

基本がもうダメ この真ん中にある センターキール これがすでに 曲がってついてる わけね!
これじゃ 外板が つくはずがない
そうかあ なるほど!
SANTA MARIA
外板も テーパーもつけず ただ張っただけ だから全然 そろってない! もう少し頭を つかわないと!
はい! わかり ました
船は この微妙な カーブが命だから 張るまえに外板を 水にひたして 火であぶり カーブをつくる
むかし 竹ひごで つくった 赤トンボの 要領です
ああいうことは 部長より 先輩の方が 上だね
部長さんも かなわ ないわね!
1か月後

ずいぶん完成したのがはやかったですね！
ほとんどわしが つくってしまったからな 部長は ただ見ていただけ！ そのほうが はやい！
一か月間えばれて気持ちよかった
両津おまえはすごい！
なんですか突然はいってきて！
あの船だ！すごい評判になったんだ！
完成したからさっそく友人の家に持っていったんだよ そしたら！
船田エイハブ

これはすごい!!
本当に大原《おおはら》がつくったのか!?
いやあ部下に手つだって…
おいみんなきてみろよ!!
ほう〜っきれいに塗装してあるな! みごとな仕上げだ!
驚くべきことはまだある! これをつくったのは第一作目
なに!? はじめてつくったのか!! これを!?
いや! ほとんど部下に…
いやあすばらしい天才的ですよ!
帆がすごいな ロウケツ染めでマークがちゃんと抜いてあるリアルだ
どういう素材をつかったんですか!?

それは布きんをつかってタマネギの皮で染めてたようでしたが…
なんとタマネギ!?
ふつうはコーヒーなどで染めるが…すごいテクニックだ…
大原！見直したよ！これだけの技術があるとは！
いや！だからそれは…
大原は蘭 菊の栽培 柔剣道 お茶 囲碁など多彩な趣味を持っているからな ははは
芸達者は何ごとにも通じるものですな！
人格が船づくりにあらわれているよ！
彼は天才だよ
いやあははは
部長ひとりでつくったことになっちゃったんですか？
そう！ほめられる気分は最高だな！
船ができた時は「なんか汚い船だな」と言っていたくせに！まったく！
ごめん！あれはわしが浅はかだった！両津の腕は日本《にほん》一だよ!!

そこで悪いんだけどもう一隻つくってくれないか！一か月で!!
えっ!?
GREAT HALLY
KIT
1/45 KIT
そんなヒマないですよ部長もつくる大変さは知ってるでしょうが!?
来月の帆船の会の展示会に出展する約束をしてしまったんだ
完成したら5万円の現金をあげよう
ゴクリ
しかし…キットの中でも最も大型船で上級向けと言われるグレート・ハリーを一か月で…
おまえならできる！たのむよ！両津くん！
よし！7万円だそう！
やりましょう！全精力をそそいで!!
いいんですか部長！
出展すると約束した以上あとへはひけんのだもはや！

それから毎日
製作の日びが
つづいた…かのように
見えたが…
得意の両さんの
わがままぶりも
でたのであった
そろそろ
外板はらないと
間にあわなく
なるんじゃない?
両津くん!?
どーも
気分が
・・・
のらなくてね
芸術家だから
私は!
おなかすいたな
カツ丼とって
くれる?
もちろん特上!
あと
ワイン!
またイヤミ
やってるよ
悪い人だな!
消火器

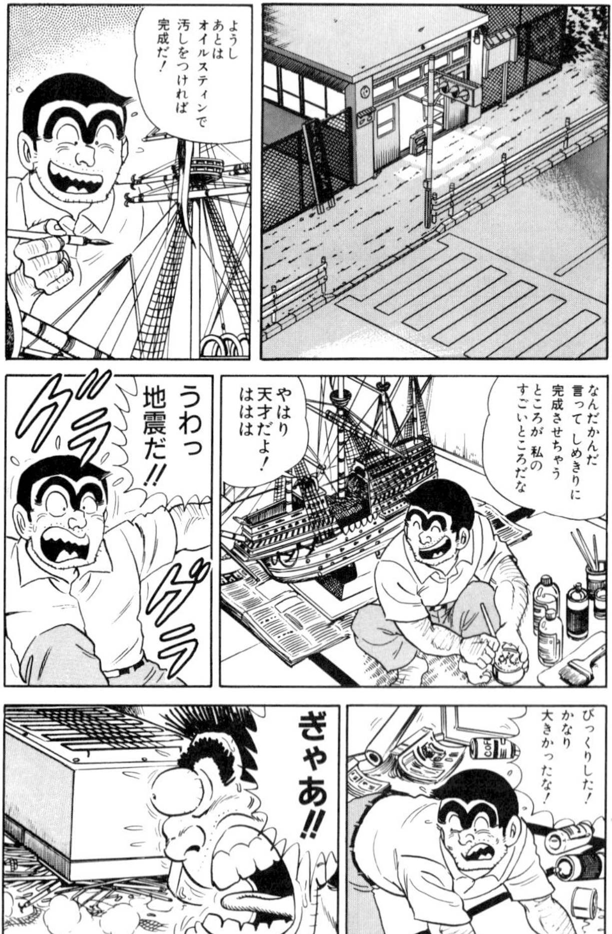
ようし
あとは
オイルスティンで
汚しをつければ
完成だ!
なんだかんだ
言って しめきりに
完成させちゃう
ところが 私の
すごいところだな
やはり
天才だよ!
ははは
うわっ
地震だ!!
グラ
グラ
びっくりした!
かなり
大きかったな!
ぎゃあ!!

の交通安全
ぬおっ 完璧に おせんべ！
どうしよう もう つくり直す 時間など ない！
ちゃんと こん包まで しといて くれたのか！
会場の人びとを あっと言わせて くださいよ 部長
わはは その つもりだ
“帆船の会” 展示会場
大原 やっときたか まちかねたよ
いやあ すまん 車が こんで いてな！

会長! 彼が私の 友人の 大原くんです
ほう! この方か!
サンタ・マリアを 見せてもらった! 新人としては じつに有望だ!
いやあ どうも
今日は 新作を 持って きましたよ
なに!?
もう つくった のか!?
ザワ
私も帆船づくりの 楽しみが わかりかけて きました
この船は この一か月 情熱を つぎこんだ 傑作と 言えるで しょう
ザワ
ザワ
じっくりと 見てください!
ザワ
どうぞ!
なんだ こりゃ イカダじゃ ないの…
これに 一か月も かかったのか…
ザワ
ザワ
ザワ
ザワ

いやあ あの…
たとえイカダでも
手を抜かず…
つくるという…その!
不ゆかいだ!
会をバカに
しとるぞ
あの男は!
大原!
冗談にも
ほどがあるぞ
ギキイ
両津の
バカは
どこだ!
どこへ
いった!?
さきほど
荷物をまとめて
旅へいき
ましたが…

★週刊少年ジャンプ1987年7号

ときめき変態《ヘンタイ》クラブの巻《まき》

（東京《とうきょう》・浅草《あさくさ》）花《はな》やしき遊園地

☆明治《めいじ》・大正《たいしょう》にあった見世物小屋が大震災でこわれ、そこに、遊園地として建てられた。空中観覧車が名物。

下町探訪扉絵シリーズ

キキッ
ダダッ
さあ今日も一日はりきって仕事をするぞ!!
ズルッ
こらーっわしの机にこんな物おくんじゃない!
調子がくるうだろう!!

ごめんなさい リカちゃんを集めてる人が すぐ とりに くるから おかせておいて!
なんだ! 女友だちか!?
男の人よ 大学生!!
プシュ
男が集めてるのか!? これを!?
すごい マニアらしいのよ
そういえば 大学教授で リカちゃんの収集を してるのがいたな 100体近くの リカちゃんに 囲まれて にっこりしてた写真は 不気味だった…
こ、これは コレクションに ならんと 思うが…
パトリシア・両津先生の
コレクシ 講座
どうも
コレクター 研究家の 両津です
ひと口にコレクターと いっても 道に落ちてる 石やビルの残がい 交通標識 電車の つり皮など ヘンな 物ばかり集めてる 人もいますが…
ここでは 正統派の コレクターに ついてレクチャー しましょう
正統派

その中でも 人形コレクターは あやつり人形《マリオネット》・フランス人形 日本人形・セルロイド人形 など古典的なものから
最近のコレクターでは G《ジーアイ》ジョー・バービー人形 怪獣人形・ブリキ人形 などがある
それらの専門店に いくと マテル社の バービーやタミーちゃんは おいてあるがリカちゃんは まったくない！
20年も前の 初期型など 値が ついてよさそうだが 「コレクション」に関しては まったく価値がでない！
…と いうことは ウラをかえせば リカちゃんは あくまでも女の子の 遊び道具なのである
コレクターの多くが 男であることから 立ちいれない 「大奥」みたいな ポジションにある
バービーは その ファッションなどから '50 '60年代のアメリカを しることができる ノスタルジックな 人形であるが
リカは 変化が少なく サイズも小さいので 服のデザインが あるていど きまって しまう
ほとんど変化なし
20年前
現在
というようなことから コレクターにとっては 「対象外」とされている リカちゃんである
ここで 「こち亀《かめ》」名物 「リカちゃん人形の 講座」に なだれ こむわけだが…
作者からの コメントがきた 「私は決して少女人形 マニアでなく ロリコンでもない」
「今回の特集は あくまでも仕事として 取材したもので 誤解のないように！」 と いってますな

(注) P.29 P.30 下の交遊図は できるかぎりの資料にもとづいて構成したものです まちがいがあっても けっしてハガキなどで投書しないように！

（※）作者は男なのでよくわからない

この20年間リカちゃんのヘアスタイルが かわっただけで全然変化が なかった…と思う方も多いがさにあらず!
⇩初期
⇩中期
⇨現在⇦
目の星の数や表情の変化でなん年頃つくられたか判断をつけられるスタッフがいるというからさすがプロの道
ちなみにリカちゃんの初期型は台東区《たいとうく》にある日本玩具資料館《にほんがんぐしりょうかん》にかざられてあるので 見くらべてみるのもいいでしょう
リカちゃん
着せ替え人形
リカちゃん オ一号
フローレット才一号
身長20センチで頭のでかいリカちゃんに対し G-ジョーと同サイズの28センチのスマートな「レディリカ」も昭和45年発売されたが 半年で消えてしまった
Lady リカ
デビュー
バランスの良いプロポーションだったが少女にとっては手のひらサイズのリカちゃんのほうが よかったようだこれが現在の「ジェニー」の前身である気がする
ブロンドからブラウンまでヘアーの色が5色あった。
今もってればきちょうですよ
このデカ頭にも利点がありサイン会などでリカちゃんが出演する時
リカちゃん フェアー
サイン会
ぬいぐるみのバランスがピッタリ!本物そのままである
4等身
1986
1980
1977
1974
第三期リカちゃんトリオ
ちえみちゃん
(河合ちえみ)
かおりちゃん
(水野かおり)
ボーイフレンド3号
イサムくん
(佐藤イサム)
現在2代目のイサムくん
ふたごの赤ちゃん
マキ
ミキ
パリに住んでいた
リナちゃん(水原リナ)
リカちゃんとまぎらわしい名で、すぐ消えた
かんごふ ナースちゃん
なんと安易な名前であろう、リカといっしょにお医者さんごっこするのよ
フレッシュママ
新しいママです
パパは若い女性が大好きなの
(金髪なのでママは外人かしら?)
新しいママが産んだ(?)
2代目ふたごの赤ちゃん
初代よりおきな顔になってしまった。メモル調
人魚の赤ちゃん
おゆにつけると髪の色が変る
バリエーション
人魚のリカちゃん
現在のリカで一す
早くパパの人形が出ないかなあ
パットちゃんをひっぱると2.5センチ背がのびて大人の大きさになる。服もリバーシブル使用になっている
パトカーガール
あこがれのスター
雪の精
シンデレラ
ボーイフレンド
カルメン
かんごふさん
スチュワーデス
まいこさん
ハッスルおまつり娘
足長おじさん
ウェディング
およめさん
ミスワールド
白雪姫
バレリーナ
あかずきん
やさしいおばあちゃん

私がいいアイデアだと思ったのが この自力靴!コーラの栓にも立てるすぐれもの
コーラのふたにもたてるの!
天上にもつく
ウルトラC
スティール机のヨコにもつく
うらに磁石がついていて、鉄ならどこでもつく。
おでかけスタンド
足が左右に動いてあるく。
しかし上げ底靴になってしまい デザインのパターンがつけられないので現在は中止されている
最近のヒットアイデアでは人魚リカちゃんのブラジャーウラが吸盤になってるのである
うらがわ
リカのむねはペッタンコなのでペタッとつく。ジェニーではマネが出来ない。
ふたごの赤ちゃん
とまあ少年誌で初めてリカちゃんの全貌を解説してしまったがこれが最初で最後であろう
20年間も愛されつづけたリカちゃんは 今後もずっと少女の友だちとしてつづいていくと思う それは男の子がしらぬ世界なのである
そこのきみ 夜中にリカちゃん電話をかけちゃいかんぞ!おまえだよ!おまえ!
あれはあくまでも女の子のためにあるものだ!別の意味で かけちゃいかんぞ!!
録音なんかもってのほかだ!
ずいぶんくわしいわね
そりゃ もうおもちゃ博士だからな!いっぱい㊙《マルヒ》話も しっているぞ
オホン
ひとつ教えてやる!リカちゃんの髪をどうやって取りつけるかしってるか?
工業用ミシンで生首の頭にガチャガチャ毛を縫いこんでいくのだ!
とても残酷なので 絵にはかかなかったがな…

そのほかにもいろいろあるがぜんぶ話すと漫画がすべてリカちゃんでおわってしまう
これはあくまで「こちら葛飾区《かつしかく》亀有公園前《かめありこうえんまえ》派出所《はしゅつじょ》」だおもちゃ図鑑ではない！
麗子さんいますか？
ん!?なんだおまえ！
リカちゃん人形のコレクターの方よ！これしかなかったけどいい？
お世話になります
婦警のモデルのリカちゃんかこれはめずらしい
服の縫製の仕方によると…'71年後期の品だな！
そんな本でてたのか？
私が資料を集めてまとめた本です
リカの場合マイナーなアイテムなので集めるのが大変なんです
そうだろうなあ！

Gージョーやバービーなどはその道の店で買えるがリカちゃんは売ってない！
だからこうして個人的に少しずつ集めないと
ちょうど今の女子大生くらいの人がリカで遊んだ年齢なのです
だから女子大の文化祭などにいきたのんでゆずってもらうわけです
人形ってすてられませんからね必ず一二体はもっていますよ
でも変態扱いされるのがつらいですねもう慣れましたが…
あっ！仕事だ!!
ちょっとまってください！
失礼ですが昭和40年代の生まれですか？
え？はい
じゃあリカちゃん人形で遊んだことあるでしょう？
ええありますけど…
あなたのリカちゃん私にください！
えっ!?

でも どこに しまってあるか わからないし…
さがしましょう! 私が!! 家は どこ ですか? すぐいきます
けっして あやしい者じゃ ありません! リカちゃんが ほしいんです
ちょっと あまり 近よら ないでよ!
電話番号 教えて ください!
きゃあ おまわり さーん
やはり 変態だ… だれでも 不気味 がるよ
私の時も あんな風に 強引だった のよ!
残念 のがして しまった!
あたりまえ だよ!
今の人は OL《オーエル》だから ダメだったん です
頭の軽い 女子大生なんか すぐOK《オーケー》ですよ でも新しい リカちゃんしか もってないんです
初期の リカちゃんで 遊んだ人は もう25歳前後 いちばん 口説きにくい 年齢なんです!

しかし いきなり 「人形ください」 じゃ 変質者だよ！
じゃあ デートにでも さそって うちとけてから 人形もらうん ですか？
女子大の校長に でもなって 女子生徒全員 から わけて もらったら どうだ？
どうやって？ 今から 女子大の校長に なるんですか!?
それを ゆっくり おまえの家で 相談しよう
あっ！
やっぱり いっちゃった！ このパターンだと 思ってたわ！
道上商店
たばこ 道上商店

以前
人形マニアの
家で3,000体の人形
見てるからな おどろか
ないぞ
うおっ
なんと!!
ご注文はこちらでどうぞ

人形の数は そんなに ありませんよ
バタッ
ありゃ 全然 部屋に かざってない!?
こっち ですよ こっち!
町が できてる!!
ママの 洋裁店
LICCA

リカちゃん人形の画期的な所は家族がいて家やスーパーなどのバリエーションが多いことです
ここまでそろえるとはすごい!
試作でつくられた団地もありますよ
カプセルホテルみたいだな
さわやか団地
これも試作で作られたリカちゃん戦車!
こんな物どうやって遊ぶんだ!?
全製品をすべて そろえてここをリカの博物館にしたいんです
この調子だと集まりそうだな
よう! リカちゃんさがしてきてあげたぞ!
ぼくの友人の弾田《だんだ》 弾《だん》です

バスガイドリカちゃんとおしゃべりペンダント
いやあありがとうお礼をだすよ
友人としていうがそんな人形はやく卒業しろよみっともないぞ！
それはいえるな！
人形はアニメの主人公にかぎるぞ
着せかえもできるんだぞ！最近のは！
ラム子《こ》ちゃんいっしょにおフロにはいろうね
同類じゃねえか！
おまわりさん彼と私をいっしょにしちゃこまります
二次元のアニメを三次元の人形にするなど邪道です
ところでさっき金をあげてたがさがすのたのんだのか？
ええやはりひとりじゃ集めるのに限度がありますからね
二次元のアニメはこのように平面着せかえ人形にするべきです！これが正しい
どっちでもいい！同じ変態同士だ！

特にこのような珍品はさがすのがきわめてむずかしい
あっ!?
さがして下さい 買いとります
保安官リカちゃん ¥20.000
SWATリカちゃん ¥20,000
あまさんリカちゃん ¥50,000
ヘビメタデーモンリカ 20,000
ダンサーリカちゃん ¥20.000
ターミネーターリカちゃん ¥30,000
24ヵ所可動リカちゃん ¥20,000
¥10,000
だからこのようなポスターを作って友人にたのんでるわけです
こんなにバリエーションがあったとは…
警察の女子寮にいけば女が山ほどいるな…
この賞金は・・・おいしいぜ!
かんざしのリカちゃん ¥20.000
私も協力しようこのポスターかりるぞ
仕事柄人と接する機会が多いまかせたまえ
バサッ
お願いします!
うむ!リカちゃん人形を通して遊びの文化を考えるじつにいいことだ!
クルクル

麗子のヤツおせえな！約束の時間なのに…
女ってのはグズだからまいるよ！
おっと
今日も道路がこんでいてまいったわね
月末はしかたないわよミニパトのつらいところよ
女子寮の前ででたりかくれたり…
やってることは痴漢とかわらんな
ケチらないで喫茶店でまちあわせりゃよかったかな…
寮の前ってのはどうも場所が悪い！
しかし100人いれば50体くらいは集まるから…
ん!?
あ！あれは!!
あの後ろ姿どこかでみたぞ！
たしかバニーガールの…

やはりそうだ!
すごい3万円!!
バニーガール
¥30,000
ちょっと確認してみるか!
ますます痴漢になってきた!
もうちょいこっち向け!
よしとどいた
ゲッコンバットジョーだ!!
あっやばい!!
バキ
うわっ!!
きゃああ
ゲッ!!フロ場!!
きゃあ!痴漢!!
きゃあ

ち ちがう
誤解だよ
キミたち！
きゃあ
こっちへ
きた！
きゃあああ
ガチャン
はっ
はっ
おくれ
ちゃったけど…
このさわぎは
まさか…
警察官で
ありながら
婦警寮の
フロ場を
のぞくとは…
もはや
言語道断
だ!!
あれは
もののはずみ！
私は ただ人形を
もらおうと思って…
麗子!!
説明してくれ〜!!
おまえは
もう わしの
部下でも
なんでもない！
どこでも
いってしまえ!!
あたしが きた時は
すでに大さわぎ
だったのよ
説明できない
わよ！

★週刊少年ジャンプ1986年44号

ハワイアンパラダイスの巻《まき》

《前編《ぜんぺん》》

海についたぞ!!
貸しボー
サーフライダー 1,000 ゴムボート 2000 ブギボード
夏はやはり海にかぎるな!
P
九里浜
海の家
さあおりてくださいよ ボクはパトロールにもどりますから
せっかく海にきたんだ! 本田《ほんだ》もいっしょに泳いでいけよ!
えっ!?
海までおくっていくだけの約束だったじゃないですか!
いいから! えんりょするな!

氷
海の家 九十九里
こんなにこんでいてはすわる所もないですよ
うーむ まるで歩行者天国みたいに人だらけだ
ガヤ
ガヤ
ガヤ
あった! あそこがあいてるぞ!!
えーっ あの場所ですか?
ぜいたくいうな! あんな広い土地はほかにない!
しかし… こわそう…

きたねえな!
ゴミばっかりだよ!
ゴミすて場みたいだな
社会に迷惑なゴミが全部集まってる
花火のもえカスが多いですね
若い連中は海にくると必ず花火をやりやがるな!
さあゴザをしくぞ!
バッ
下がなんかゴツゴツしますよ!
まだ何か下にうまってるのか?
あーーっこれは!?
バイクがうまってるぞこの下に!!
なんですって!
ほりおこすの手つだえ!
ザッ
ザッ

なんでこんな所にうまってたんですか!?
たぶん盗難車だ! 近所の暴走族《ボーソーゾク》がのりまわしてここにすてたんだろう!
まったく迷惑な話だ!
さあ目いっぱい日焼けするぞ!!
サンオイルも何ももってきてないんですけど…
海にはつかいのこしのサンオイルがいっぱいおちてる
それをかき集めればふたり分くらいあるだろう
ずいぶん貧乏くさいですね
ペタ
ペタ
バカものこれを生活の知恵というんだ!
ペタ
おや? それは?
ペタ
ペタ
ペタ
どうかしたんですか?
サンオイルじゃなくてカンチョーだぞ!
げえっ!!
なぜか日本の海にはカンチョーがおちてるな! まぎらわしい!
気持ち悪い! 体中にぬっちゃった!

本田！飲み物買ってこいトロピカルドリンク
はい！
目を とじてここをハワイと思えば気分はトロピカル！灼熱の太陽！輝く青空にのびたヤシの木…
ぷ〜〜ん
くせえ…となりで干物《ひもの》を干してやがるのか！
地元の連中め！少しはムードを考えろ！
買ってきましたサイダーととうもろこし！
おい！トロピカルドリンクといったろ！
サイダーとパヤリースしかないんですって！がまんしてください！
はい！とうもろこし
海にきてとうもろこしを食べるのはわしがガキの時代から30年以上もかわらんな
トロピカルどころか思いきり庶民的な海水浴だよこれじゃ
今年は中川《なかがわ》さんたちとバカンスにいかないんですか!?
わしもその予定で夏休みをたっぷりあけてまっていたんだよ
先週そのことを中川に聞いたら…

海外でのバカンスですか？
今年は軽井沢《かるいざわ》に2週間ばかりいるだけですよ！
え!?海へ!?
いかないわよ！今年は神戸《こうべ》の実家でのんびりすごすつもりよ
あてがはずれたなあ！パスポートまで用意してたのに！
部長は夏休みどこかいくんですか？
いいや！家でゴロゴロしてるよ
ちえっどこかいくならつれていってもらおうと思ってたのに…
残念だね！実に！
しかたねえ！今年は自力で海にいくしかないな！金がかかりそうだ
そこで電車賃をうかすため本田のバイクでこの海にきたってわけだよ！
不景気でみんな今年はじみな夏をすごしてるよ

おかしいな！大原《おおはら》部長は今年ハワイにいくはずですよ
なんだと!!
あのケチでムダ金は一円もつかわない部長がなぜそんな所へいくんだ!?
く…苦しい！ちょっと!!
勤続30年無欠勤でそのごほうびに本署からハワイ旅行のプレゼントなんですよ
しらなかったんですか？
貸ボート
知らなかった…
ゴホ
ゴホ
ハワイで中川さんのヨットにのるといってましたよ
なに中川と!?
だからてっきり両さんもいっしょにいくと思って…
しらん！今はじめてその事実をしった！
そういえば中川麗子部長ともおなじ今週いっぱいの有給だった…気づくのがおそかった…
くそ〜ッ
わしだけのけものにしてハワイにいきやがって！
本田！この金で食糧を買えるだけ買ってこい!!
えっどうして!?

いいからさっさといけ!
はい!
ふざけやがってちくしょう!部長め!
このままだまってると思ったら大まちがいだぞ!!
買ってきました…あ!?
家花ちゃん
ご苦労そこへおいとけ!
まさか…このイカダで…
そう!ハワイまでいく!
まて!クルーが一名必要なんだ!
ムチャだ!こんなのでハワイまでいけるはずがない!
だいじょうぶ
昔堀江謙一《ほりえけんいち》という男はひとりで太平洋《たいへいよう》を横断したことがある

出航だ いざ ハワイまで!
バナナ
うみのい
無謀だ!! ひきかえしましょうよ!
ザザザッ
今頃 部長はハワイでバカンスだぞ くやしくないのか!!
くやしくない! だからかえろう!
ひとりじゃかわいそうだと思ってバイクもつんであげたんだぞ!
バイクはいらないからかえりましょう!
こんなイカダなんかで絶対にハワイなんかいけませんよ 新島《にいじま》だってムリですよ!
ダメといわれるとなおさらチャレンジしたくなるのがワシの性《さが》!!
ぎゃあぁ とめておろして!
ギイ
ギイ

ずいぶん沖まできたな！360度全部海だ！
どうしたんだ本田くん!?元気がないな
もうここまできたらもどれない…
そう！もういくしかない！決心ついてよかったね！
ハワイまでなん日くらいかかるんですか？
わからん
方向はこれで正しいんでしょうね？
たぶん！よくしらんがな
全然わからないんですか!?
海流は日本からアメリカに向かってるから予定ではつく!!
アメリカ
海流
ハワイ
やっぱりぼくは泳いでかえる！
あっこら！
ダ
はなしてください！これじゃ漂流とおなじですよ
おちつけ！なんとかなるから心配するな！
グラ
グラ

バシャッ!!
あっ!! 食糧が!?
あっ
あれがないと大変だ!
ガバッ
見つかりましたか!?
ダメだ!! サメがよってきた!
ぎゃあぁ! サメだ!!
いい天気だな たっぷり日焼けできるぞ 本田も焼いたらどうだ!?
どうしてそう楽天的なんですか!? 本物の漂流になっちゃったんですよ!
ジタバタしたって状況が変化するわけじゃあるまい!

だからと いって
のんびり日焼け
なんかしてて！
・・・
ううう…
おっ!!
魚が
かかったぞ！
やったね！
ナイフは
ないか
本田!?
食糧と
いっしょに
しずんで
しまいました！
バイクの
工具で
なんとか
料理
してみよう
なんでも
利用するん
ですね
今日で もう
3日目か…
どこにいるのか
さっぱり
わからん
冗談ぬきで
このまま
くたばるかも
しれんな
死んだら絶対
部長たちの所へ
化けてでて
やるからな！
おぼえて
いろ！

おーい！
人が
いるのか!?
人の声が
聞こえる気が
してきた
いよいよ
最後だな
いるぞ
人が！
おーい
返事
しろ！
えっ!?
本当に
人の声だ!?
生きてるぞ！
だいじょうぶだ！
よくまあ
こんなイカダで
ここまで
きたなあ…
あっ
ヨットが
きていた
のか！
ロープを
マストに
固定して
ください！
いやあ
助かった！
地獄に
仏とは
まさに
このことだ！
おい
本田
おきろ！
フェンダー
だしてくれ
もう
天国ですか
ここは？
えーっ
なんで海に
人が いるの!?
ヨットマンが
助けて
くれたんだよ！

ザ
食糧も海図もコンパスももたずハワイへいこうなんて自殺行為ですよ！
つい！勢いで出航しちゃったものでねまいったよ！
でもこのイカダはセールの張り方は正しいねヨットらしくなってるよ
えっ本当ですか？
ホビーの帆船モデルをつくったことあるからなウェイトがわりに下にでかい岩をつけてるからな
ジブセール
メインセール
ラダー
バラスト(ウエイト)
セイリングは可能なわけか！
食事の用意ができたからどうぞ！
いやあすまん
魚ばかり食べてたからノーマルの食べ物が恋しいよ
ははは！どうぞいっぱい食べてください！

すごい！レーダーまでつんでるのかこのヨット
ゆうべ両津さんたちを発見した恩人ですよそれは！
外洋を航海するからある程度の機器をつんでないとダメなんですよ
なるほどなこれらもみんなそうか
人工衛星からの電波によって船が どの位置にいて 目的のポイントまで所要時間がどれだけか正確にわかる装置です
そりゃすごいな！
FURUNO
FURUNO
でも海図とコンパスがあれば目的地までいけますよあとで ちゃんと教えますよ
本田しっかりおぼえろよおまえが水先案内人だ
あとヨットの基本的なのり方も練習しましょう風のふくままじゃハワイへはいけませんから！
それは わしがおぼえよう！体つかうことならまかせてくれ！
ところでこのヨットはどこへいくとちゅうだったんだ？
フィジーまでいく予定ですがいいですよハワイの近くまでおくってあげます
そうかすまんな

数日後
ザ
ザ
ここからなら あと3日ほどで ハワイ諸島が 見えてきます じゃ がんばって！
食糧も もらって 悪いな！ 一度 派出所に こいよ 礼するから！
もう いっちゃうん ですか？
ここまで つれてきて もらったんだぞ！ まったく
どうせなら 最後まで つれてって ほしい！
あ…いっちゃった…
ううっ また漂流に もどってしまった… 悲惨！
ううう…
おい 方向は これで いいのか？
いつまで ピイピイ 泣いてんだよ 方向を見ろと いってんだよ！
きのうまでは 柔らかい ベッドで 寝てたのに またきょうから 丸太で寝るんだ うう… 悲しい！
あたりまえだ！ 男の船出とは ハードなもの なんだ！

だいたいヨットでハワイまでいくには3か月以上かかってとっくに部長たちは日本にかえっているのに…
この話は初めからムリがあるんだ
ぐだぐだぬかしやがって!!
子どもの読者は知識が少ないからしらんぷりしてりゃいいんだよ!
いいよわしが方向を見るから!
えっ!?
そのかわりソ連《れん》の領域にはいって突然発砲されてもしらんぞ
ボクがやりますボクが!
南東10度の方向へ進んでください
OK!
南東10度ね!
こんな小さなコンパスでちゃんとハワイへつきますかね!?
だいじょうぶ!南下すりゃ自然に南国ハワイだははは!

★週刊少年ジャンプ1986年38号

ハワイアンパラダイスの巻《まき》

《後編《こうへん》》

部長! どうですか ハワイは!?
いやあ 仕事を わすれて のんびり できるよ!
さっきから 沖を ながめて どうか したの? 麗子さん
気に なるのよ
こっちへ むかってくる かわったヨットの ふたり だれかに 似てない?
え!?
本田!! ハワイへ 着いたぞ やったぜ!!
もう涙も 枯れはて ました…
あッ!? 先輩 だ!?
なに!?

まさかイカダでハワイまでおってくるとは思いませんでしたよ
両津の行動は常識でははかりしれんものがある これがたとえ宇宙でもおってくる男だ!
だまって旅行にくるのはもうやめた方がいいですね かえって火をつけるハメになります!
この別荘はさっきのワイキキビーチとちがって ずいぶんしずかな所にあるんだな
このカイルア地区はちょうど ホノルルのうら側ですよ ベッドタウンですから のんびりとできますよ
外が すぐに湾になっていますから あすヨットでクルージングをしましょう
それは楽しみだ よろしくたのむよ
あっ 麗子さん! 本田さんの様子はどう!?

かなり衰弱してるわね 今ようやく寝ついたところよ
ムリもないよ 嵐にあった上3日間 何も食べてなかったんだから！
うわごとで「サメが襲ってくるー!!」って言ってるの本当にかわいそう！
まったく両津のヤツ迷惑ばかりかけおって！
その本人はどこにいるの？見えないけど…
ぼくのおじさんとホノルルへ観光にでかけたよ
ステーキは3人分食べるしあの元気さは異常だよ！
まさにゴキブリ以上の生命力だ
つぎは どこを案内してほしいですか？両さん！
そうだな もう だいぶまわったんだな

私は このハワイに住んで50年になるね!ハワイのことならなんでも わかる!
親父《オヤジ》さんはここの生まれかい?
いや日本だ!東京の根岸《ねぎし》で生まれた!
わしは浅草だぞ!近いな!
浅草か いやあなつかしい!
私の親父は中川財閥のかわり者でな!落語が大好きではなし家が住んでいる根岸に家出していた
そこでわしが生まれたんだ!
その後 突じょハワイに住みたいと言って一家でここに移住したというわけ!
もう道楽親父でどうしようもない!わしも すっかりその血を受けついでしまったがな!ははは!
どうだ!わしの家で酒でも飲んでくか?
いいね!酒 大好き!

あれが私の親父だよ!
なるほどかわった人物だな
しかし 浅草の話は なつかしい! いやあ両さん気にいったよ ははは
今度はわしの実家に遊びに来いよ! 東京の変貌ぶりに腰ぬかすぞ
どうぞもっとめしあがってください
いやあハワイで日本酒を飲めるとは思わなかったよ
ところで飛行機の写真が多いけど あんた航空マニアか?
親父だよ 道楽者といったろ
その道楽の極致がとなりのガレージにある きてみろ!
ほう なんだい!?

うおっ! なんと!!
零戦《ゼロせん》じゃないか!?
わしはプラモデルでしか作ったことないがよくできた複製《レプリカ》だな
21型か! 真珠湾《しんじゅわん》攻撃に使用したのもたしか同型機だ
本物だよそれは!
真珠湾攻撃で不時着した機をかっぱらって終戦までかくしてたのだ
ほかにカーチスP《ピー》40や97式もあったが すべて米軍《べいぐん》に没収されたこの21型だけたすかったわけだ!
とんでもねえ親父だな! 飛行機マニアはこれだからおそろしい!
飛ぶのか? この零戦!?
もちろん整備してある 親父の操縦で以前は これで海へ泳ぎに よく行った 目立つのなんのはははは

のってみるか? この近くをまわってやるよ
飛ぶ零戦は復元されたのしか見たことない当時のままでぜひ のってみたい!
おい! 道路を滑走路代わりにつかうのかよ!?
そうだ! ここは車の通りが少ないからな!
おでかけですか? Mr.《ミスター》ナカガワ
ちょっと お客さんがきたので空の散歩にね
バババババ
住民がすでになれているというのがこわいな
ゴオオオン

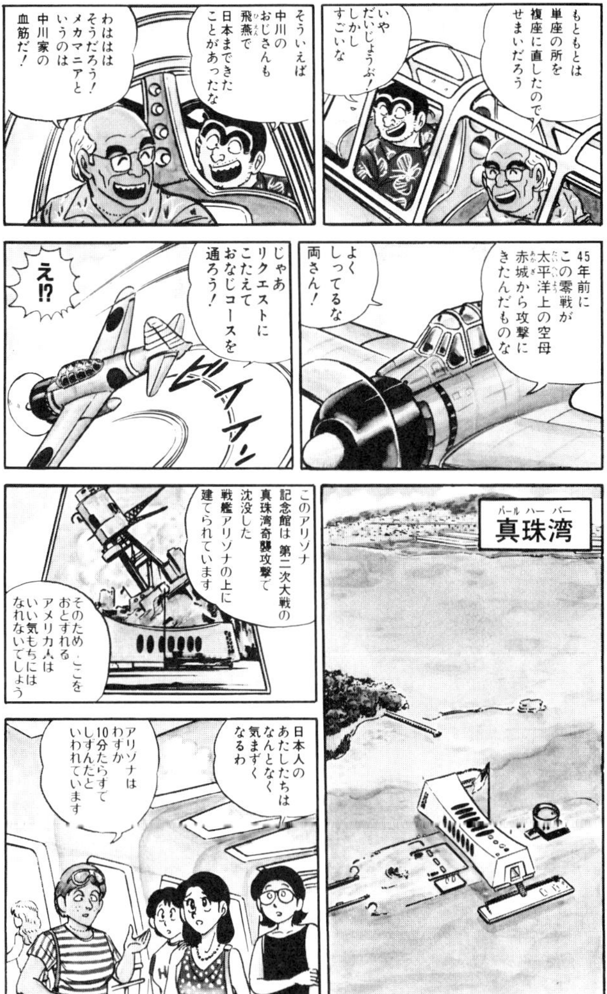

もともとは単座の所を複座に直したのでせまいだろう
いやだいじょうぶ！しかしすごいな
そういえば中川のおじさんも飛燕《ひえん》で日本まできたことがあったな
わはははそうだろう！メカマニアというのは中川家の血筋だ！
45年前にこの零戦が太平洋《たいへいよう》上の空母赤城《あかぎ》から攻撃にきたんだものな
よくしってるな両さん！
じゃあリクエストにこたえておなじコースを通ろう！
ビィイイン
え!?
真珠湾《パールハーバー》
このアリゾナ記念館は第二次大戦の真珠湾奇襲攻撃で沈没した戦艦アリゾナの上に建てられています
そのため ここをおとずれるアメリカ人はいい気もちにはなれないでしょう
日本人のあたしたちはなんとなく気まずくなるわ
アリゾナはわずか10分たらずでしずんだといわれています

1941年12月7日 島の方より 日本海軍の 零戦が…
キラッ
うわあ 本物の 零戦だ!
ヴォオオム
きゃあ
ヴイイイイン
きゃあ!
OH《オー》!
WA《ワ》!
ZERO《ゼロ》 FIGHTER《ファイター》!?
ガヤ
ガヤ
ガヤ
OH《オー》! MY GOD《マイ ゴッド》!!
…と このような 攻撃コースを 通ってきた わけだ!
バカモノ!! アメリカ人の 感情を さかなでする ようなことを するな!!

ただでさえ貿易摩擦で日本人をよく思ってないんだぞ よけいひんしゅくを買うだろうが!!
ははは だいじょうぶ! アメリカ人はジョークが大好き!
いくらアメリカ人が陽気だからといってシャレじゃすまんぞ これは!!
ドント ウォーリー! だいじょうぶ!
酒を飲みながら操縦するのはよせ!
あっ
そうだ! 買い物していこう
えっ!! なに!?
カラカウア大通り
OH!

HAWAII
7C-237

ABC DISCOUNT STORE

ヒュイイイ
SPEED LIMIT 25
3.99 SALE
ZERO!?
TAXI
HAWAII 8C-803 ALOHA STATE
ちょっと買ってくる!
あっ!こら!!
日の丸つけた戦闘機を道路の真ん中にとめやがってまったく!!

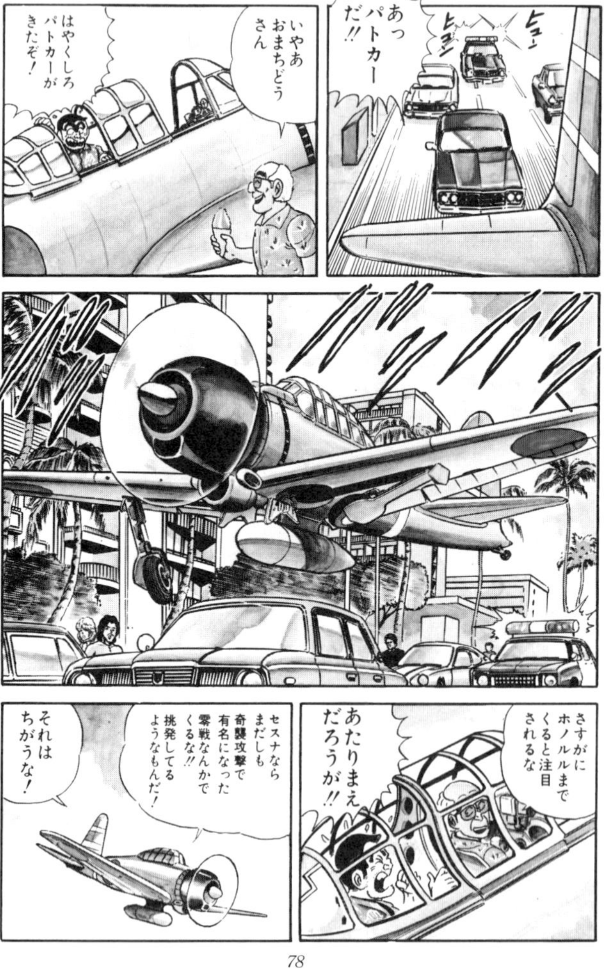

あっ
パトカーだ!!
いやあ
おまちどうさん
はやくしろ
パトカーがきたぞ!
さすがに
ホノルルまでくると注目されるな
あたりまえだろうが!!
セスナならまだしも奇襲攻撃で有名になった零戦なんかでくるな!!
挑発してるようなもんだ!
それはちがうな!

挑発するというのは…
このような戦闘服も着ないとダメだ！
ばっ
こらバカよさんか！
となりにテレビ局の機がいるんだぞ
え!?
ビィイイイン
ウイイン
あっあら!?
おい！誤解するな
グオオオン
うしろからエアポリスがおってくるのが気になる
なに!!
カメラに撮られたぞ!!全米ネットでそんな姿がニュースに流されたらどうする!?
それより…

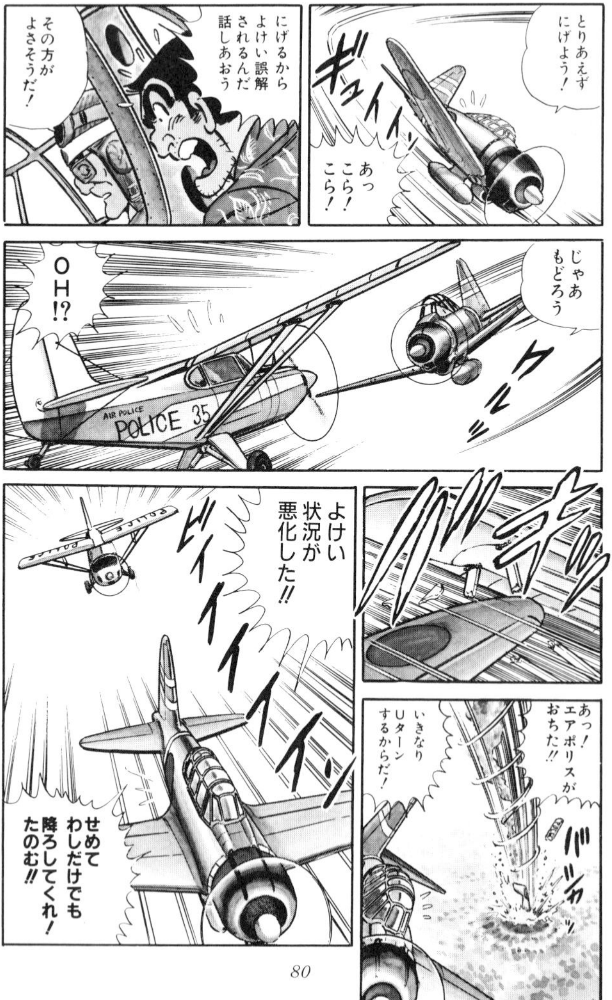
とりあえずにげよう!
あっ こら! こら!
にげるから よけい誤解されるんだ 話しあおう
その方が よさそうだ!
じゃあ もどろう
OH!?
AIR POLICE
POLICE 35
あっ! エアポリスが おちた!!
いきなり Uターン するからだ!
よけい状況が悪化した!!
せめて わしだけでも 降ろしてくれ! たのむ!!

部長!! 勤続35年 おめでとう ございます
35
部長さん ごくろうさま
いやあ ありがとう!
あたしが 焼いたのよ 甘さを ひかえてある から安心よ
ははは 気を つかって もらうな
コングラチュレーション!! Mr.オオハラ
ガヤ
パーティーは ゲストが 多い方が 楽しいと思って 友人を招待 しました
ガヤ
サンキュー いやあ こんなに 祝ってもらえる とは!
ボクも 元気に なりました! おめでとう ございます
思いおこせば この35年間 必ずしも 楽な道のりでは なかった
問題の多い 男が一名 いたために 苦労が10倍 寿命が10年 ちぢまったが… しかし…
きょうは私の 人生にとって 最良の日に なりそうだ
やったーっ!! カンパーイ

★週刊少年ジャンプ1986年39号

スーパー強盗《ごうとう》撃退作戦《げきたいさくせん》の巻《まき》

下町探訪扉絵シリーズ

今もりこる木造三階建ての下宿屋「本郷館《ほんごうかん》」

亀有公園前派出所
いやあハワイではまいったよ
いくら自由の国アメリカといっても零戦でホノルル上空を飛びまわってはまずいですよ
飛行機が勝手にいくんだよ うしろにのってるわしはとめようがない!
それにしてもカメハメハ大王像に追突させることないじゃないですか!
あれはたまたま着陸地点にあったのであたってしまっただけ けっして悪気はない!
アメリカの警察はそう理解してくれませんよ
そうよ! 圭ちゃんが州知事のしりあいで説得してくれたから日本にかえれたのよ
でなけりゃ今頃まだ刑務所の中よ!
わかってるよ!

やっぱり日本が一番いいよ
はい これでおしまい
おはよう！
おはようございます
ハワイ旅行おつかれさまでした！
いやあ楽しい旅行だったよ
後半 よけいなのがきて迷惑だったがな
荷物をはこんだり買い物をてつだったり協力したじゃありませんか!!
強盗事件についてだが…
最近激増してきたのが終夜営業のスーパーをねらう強盗だ
くそ…無視された…
ちくしょう
先輩 ちゃんと話を聞かないとダメです！

なぜ深夜スーパーがねらわれるかわかるか!?
ドキ
えっ!?
えーとなぜならそこにお金があるから…
コンコン
そういう小学生みたいな答えをいってるからおまえは進歩がないんだ!
中川いってみろ!
はい
深夜は周辺の店も閉店していて人通りも少なくまた 深夜スーパーの店員もひとりやふたりのためねらいやすいので目標になってると思われます
その通り
いくらねらいやすくても金がなけりゃ強盗などはいりません!私の答えの方が正しい!
それは・・・へりくつだ中川の方が正しい!
ご存じの方も多いと思うがここで深夜営業のスーパーマーケットについて説明しておこう
12年前に東京・江東区《こうとうく》豊洲《とよす》にアメリカで有名なセブンイレブンが一号店を建て 日本に進出してきた
ELEVEN
でんわ
ちがう!物ぶつ交換のスーパーなら強盗は 入らない!!やはり現金があるからこそ…
もう両ちゃんの負けよ!あきらめが悪いわね!

それまでは深夜スーパーといえば東京・青山《あおやま》のユアーズが有名だったが
Yours
ユアーズ
場所が場所だけに芸能人が 深夜 車で買い物には くるものの一般人は少なく まだポピュラーではなかった
このセブンイレブンの進出によって 今までは主婦のイメージだったスーパーマーケットはコンビニエンスと名をかえ若者に大ヒットした
元来 深夜志向の若者の生活様式にピタリとあい出店数は ふえつづけた
これに目をつけた日本企業も深夜スーパーにのりだし大都会周辺で急増した
現在 首都圏で大手五社のスーパーで終夜営業しているのが約3.400店そのほかのスーパーをいれるとぼう大な数になる
荒木町
四谷
四谷三
須賀町
左門町
過当競争が激しい地区などは100Mごとに深夜スーパーが林立し夜中でも街が明るくなるほどである
24 BETTY
BOOP 24h
便利とばかり喜んではいられない そこで登場してくるのが暴走族《ボーソーゾク》! 連中が 毎夜ここへ集まる
24
大きな駐車場のある深夜スーパーはさながら族《ゾク》の集合場と化し 一気にガラが悪くなる
そして 深夜 車やバイクで買い物にくる人は つい深夜の気のゆるみでキーをつけたまま店に入ってしまう
これは危険である

そういうのを専門にねらっている連中もいる
SHIN CHAN
24h
ほんの10秒で自分の車が消えてしまうこともある
そして 連続発生している深夜スーパー強盗
日本の夜の犯罪もだんだんアメリカ的になりつつある
FOODS
そのためにパトロール強化が必要なのだ!!
わっ びっくりした!!
このような犯罪は 必ず連鎖反応をひきおこす! だから くいとめねばならん!!
私 個人にいわないでくださいよ!
我われは 3丁目が担当地区になっている この防犯心得を各店舗に配布し注意をよびかける
特に両津はきょう夜勤だからパトロールに力をいれろ!! わかったな
3丁目管内で強盗が発生し被害額が10万円の場合おまえの給料から10万ひく 20万なら20万だ
そりゃあんまりだ部長!!

夜中の2時だというのに営業している店が多いな
部長のいった通りだ
24
レンタルビデオショップ
亀有エース
レンタルビデオ
さあらっしゃい奥さん!まけとくよ!
生きのいいサンマだい!そこのダンナどう!?
24
魚八
パン パン
深夜にあんな活気のある店も不気味だ
24
だがし屋
24
時間営業
だがし屋
アイス
あんな店に夜中や明け方に子どもが買いに来たらこわいな

蛇骨妖怪チェーン
24h
交通量の少ないこのあたりのスーパーがあぶなそうだな
!
うおっす!
あっおまわりさん!
このあたりは強盗が多発しているからなパトロールしてるところだ
これは心強い!たすかりますよ
先月も強盗にあったばかりなんですよ
この店じゃねらわれて当然だな

おいっ!!
ドー
ひいい!
みたか!! あんな色白でひよわな青年じゃレジを守れという方がムリだ!
ご自由におとりくださいだよ!! まるで
じゃあどうすれば?
PUS
まず第一に強盗になめられんようにしなきゃいかん! たとえば…
ナイフでおどせば一発で金をだすだろう
FOCUS
へいらっしゃい!!
いらっしゃい!!
何をおさがしで? お客人!?
いえあの…
まさかひやかしで店にきたんじゃねエでしょうね!?
そ…そりゃあもう…

おにぎりを5個もらおうかな…
へいまいど!
ありやとやんした
いいえどうもはは…
お客さんがこわがって買いにきませんよ
せめて 大学の空手部にしろよ!こんなんじゃたよりにならん!!
深夜のバイト学生をやっとみつけたところなんですよ
じゃ散弾銃をたえずかまえてろ
ダメですよそんな危険な!
じゃ警官の制服でレジをやれ!
ヘンですよそんなの!
ちゃんと 入口に犯人の特徴をおぼえるよう身長を色分けしてすぐわかるシステムになってます
今はどこでもやってるよ
防犯カメラもレジに立てば自動的に作動します
レジはここだぞ!犯人の後頭部写して どうしようというんだ!?

正面から堂どうとカメラにおさめればいいだろ!
ふつうのお客さんがいやがりますよ
カナアミを張ってレジにはいれんようにしよう!
品物をわたせないじゃないですか!
だいたい どこの深夜スーパーでもこのような配置にするから 死角ができて犯人がわからんのだ
客をひとりひとりちゃんとみていれば犯罪はおこらん!
深夜はひとりかふたりしか従業員がいないんですよ不可能ですよ
不可能じゃない!
このような円にすれば客の行動がすべてわかる
まわりじゅうカガミ
どうやって買うんですか?
おねがいします
全部で850円ですお金もごいっしょに!

毎度 ありがとう ございます
たとえ 強盗が きたとしても
おい こら! 金をだせ!
はやく ださんか!! おい!
おちついて 110番すれば いいわけだ
ひとつ 大きな 欠点が ありますね
なんだ!?
思いっきり 万びきを されてしまう ことです
お客さん レジを わすれて ますよ!
そのまま もって いかないで〜!
カルピス
うーむ それは いえる
じゃあ 入口は完全 一方通行に してだな!
出口は後ろから おねがい いたします
出られません
出られませ
それで!
出口を 迷路にすれば 迷ってる間に パトカーがくる
出口
一般の お客さんが 大変ですよ
ピーポー ピーポー

犯人も
ふつうの服装で
はいってきて
突然 犯行に
でますからね
一般客との
みわけが
むずかしい
ですよ
ピーピー
なに！
2丁目で
強盗未遂
だと!?
えっ
この近くに
強盗が!?
また
おそわれたら
大変だ！
閉店に
しよう！
まて！
またとない
チャンスだ!!
こんな虚弱体質の
店員は めったにいない！
まさに この店は
標的のモデル店と
いえる!!
小学生でも
犯行可能だ!!
どういう
店ですか
ここは…
だからこそ
犯人をつかまえる
絶好のエ・サ・
なのだ！
店内を
よごして
だらしがない
店と思わせる！
犯人は
安心して
はいりこんで
くるだろ！
さらに
入口に
千円札を
なにげなく
おとしとく
わざと
らしい
ですよ！
制服のわしが
ここにいては
まずい
かくれる所は
あるか？
そう
ですね！

冷蔵庫の中はどうです!?
えっ!!あの中に!?
ヒュオオオ
うひょう
中はこうなってるのか!
寒いから時どきは外にでてください!
ほうここからなら店内がみえるな!
じゃあおねがいしますよ
ようしバッチリみはってるぞ!
明け方までに海につく食糧を買いこんでいこう
いらっしゃい
じゃあまず酒だ!ビールと日本酒!
オレは漫画を買っていく!
LIQUOR
SAPPORO

ワンカップを10個と…
あれみんな空だ?
うぎゃあ
おまわりさん!!お客をおどろかさないでくださいよ
すまんヒマだったものでつい!
あーあ商品の酒も飲んじゃって!
あまり寒かったもんでつい少しょう…
おいだいじょうぶか!?
おかげで犯人をつかまえるいいアイデアがでた耳をかせ!
ボソボソ
えっ…非常灯も!?
蛇骨妖怪チェーン24
ジャリ
午前3時人通りが一番少なく店員も思考力がおちる時刻だ
さっきは未遂だったが…この店は楽そうだな!

月のない夜こそ絶好の犯行びより…
家賃もたまってることだしいくか!
ポキポキ
おっ!? みるからにだてメガネつけヒゲカツラだ
あやしいのがはいってくるぞ
100%
農協100
ピーマン
セロリ
コーヒー
グイイン……
いらっしゃいませ!
レジには防犯カメラはないいける!
ズン
金をだせださんとパチンコで撃つぞ!
ぎゃあ!!
エサにかかった今だ!
すべての電気を消せ!

あっ⁉
しまった 罠か⁉
くそ‼ 真っ暗やみで 何も みえん!
やったぜ!
だ…だれだ どこにいる⁉
ここだ! ここ!
左目を暗やみにならしてたおかげでバッチリみえてる!
ひきょうもの‼
スーパー強盗の方がよっぽどひきょうじゃねえか!
ぐわっ‼

くそっ!!
いてっ
ドカッ
やっと目がなれたぞ
家賃をとりそこねてしまったか!
ドンッ
ぐうっ!!
自動ドアは電気がなけりゃ開かんのだ!おろか者め!
おっしゃる通りで…あいたた…
両津!!大手がらよくやった!
この顔にピンと来たら110番
いやあ警官の血がさわぎましてね はははは!

私は犯人が絶対あのスーパーにくると感じてました！
犯人の犯行心理をするどく読んだ作戦です
先輩 犯人の心理を読むのが得意ですから！いつ犯人の立場になってもいいくらいで…
こら！人がせっかく手がら たてたのに！ちゃかすな！
「日本終夜営業開いててよかった組合」から今回の逮捕のお礼がきていたぞ
金一封ですか⁉
いや！防犯の自衛策の一端としておまえの銅像をつくることにしたらしい
銅像を…!?
これがその銅像だ これを店の前においていくらかでも 犯行を未然に防げるように全国的にキャンペーンをやるそうだ
防犯運動実施中
フライドチキンのおじさんじゃあるまいし町のあちこちに自分が立っているなんて気味悪いですよ!!

★週刊少年ジャンプ1986年40号

麗子《れいこ》の秘密《ひみつ》の巻《まき》

出勤《しゅっきん》シリーズその①は
麗子《れいこ》さんだ!

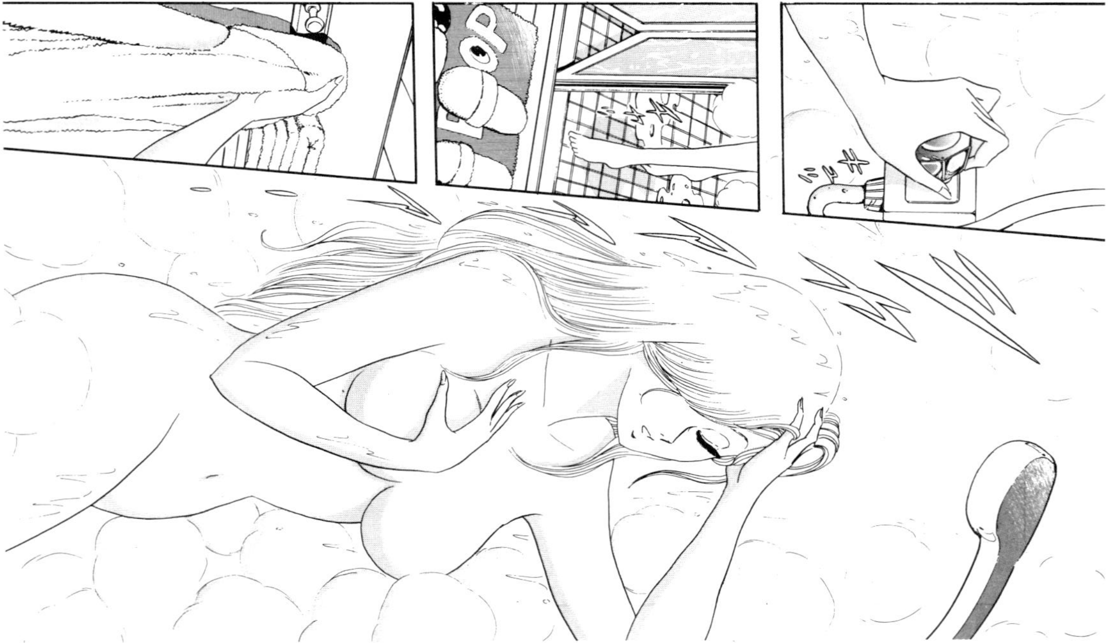
キュッ

ふう
やっと
目が
さめたわ！
きのうの
パーティーは
たのしかった
わね！

ピ
ピ
ピ
ピ
はい!はい!
わかったわ ちょっとまっててね
ゆうべはおそく帰ったから伝言が多そうね

麗子!! 今ニューヨークから帰ってきたところよ すごく寒かったわよ 麗子も来週 いくんでしょう!? いいお店見つけたから ぜひおしえたいわ! TELちょうだいね! かすみちゃんでした!! カチャ
いやあ 麗子さん やっと この電話番号探しました 伊集院《いじゅういん》です! 突然 引っ越しされるなんて 本当に驚きましたよ
港区《みなとく》の高級マンションを知りあいの不動産業者に頼んで一軒一軒探したんですよ! 大変でした!
まあ やっぱり!
また部屋中花だらけにする気なの!? あの人!
麗子さん
今日 出勤する時 驚く事がありますよ! えっ 何って!? ははは! それは秘密です
もう わかってるわよ! 全然進歩のない人ね!

朝のさわやかな気持ちがふっ飛んじゃったわ! もう 出かけましょう!
ヒントをあげましょう! 麗子さんのとても好きな物ですよ! わかりますか?
ヒント2 上が「お」で 中が「は」で 下が「な」です!
パパがカナダに別荘を買ったから 今度 麗子さんとふたりでカナダへいきましょうねっ!
約束しましたよ!
勝手にいってよもう!
あーっ わたしの車に!!
ここにもきたのね あら!?

三井《みつい》銀一郎《ぎんいちろう》さんだわ！
こっちの方は安田正雄《やすだまさお》さん！
G.MITSUI
引っ越して4日目ですでに三人に場所がわかってしまったわ！
署に花束は持っていけないし…
常務おはようございます
おじさま花束もらってください！
えっ!! 私に!?
いやあ！私もまだまだすてたもんじゃないな！まいったなァ
なかなかやりますね常務!! 女殺し！
さあてと！
キュッ
出勤しましょう！

ヒルズ
南青山
安全
えっ うそ——っ 今日 わたしと 両ちゃんだけ!?
女子職員室
だって中川さん 休暇でヨーロッパへ いってるし 部長さん 接待で 今日一日 内勤よ!
まいったなあ! あの人は 部長さんが いないと わがままなのよ
美女と 野獣ね 気をつけ なさいよ 麗子
REIKO

朝から不吉な予感はしてたのよね！
そこだいけ！ピストン浜田丸《はまだまる》!!
カシアスクレイマンなんて弱いぞ！右だ!!そうだ！いいぞ！
こら！こうげきをゆるめるな打て!!
幻の左パンチを打つんだ!!
ぐわっちててて!!
決まったチャンピオンノックアウト
クレイマン立てません！ピストン浜田丸が新チャンピオンです！
やったあ！それでいいわしの指導通りだ!!

よくやった
浜田丸!!
左手を負傷
してまで
アドバイスした
甲斐があるぞ
浜田丸
うれしそう
です!
タイトルマッチが
終了したとたん
痛みだして
きた!
いてて!
血が
ますます
出てきたぞ
まずいな
キイッ
あら?
両ちゃんが
いない
奥の部屋
かしら?
おおッ
いいところに
きた!!
包帯
どこにある!?
消火器
きゃあ
どうしたの
その手!?

ボクシング見ててよ！ついエキサイトして素手でガラスを割ってしまった
まだガラスの破片がはいってるわよ！洗って消毒した方がいいわ
いいよ そんな大げさなことしなくて!!
何言ってるのよ！バイキンがはいったら大変よ！
はい これでいいわ！
ちぇっ まいったな！
まるで大ケガでもしたみたいに見えるだろ！カッコ悪いな
本物の大ケガよ!! 治るまで2週間はかかるわよ
しかし ボクサーのバンテージだと思えばスマートだ！
だめよ！すぐうごかしちゃ！

そう言えば さっき おまえを たずねて イジュウ… なんとかって のが きたぞ!
伊集院さんが ここに きたの!?
いきなり ベンツ560を 横づけして! 花束を一杯 持って きやがったんだよ!
「麗子さんの 大好きな蘭の花 持ってきました 麗子さんは まだ 出勤してませんか」って
それで… 両ちゃんは どういう 態度 とったの?
ゴクッ
だからさ ちゃんと言って やったんだよ あいつに!
ばかやろう ここは日本だ! 花を やるのは お彼岸だけだ
女に花なんぞ 持ってきやがって てめえアメリカ人か!? とっとと 帰りやがれ!!
逃げる時 ベンツの 後部に3発 食らわしてやったよ! 今度 見てみな ベンツマークの真ん中に 命中してるから!
ところで あいつは だれなんだ?
ヨトタ自動車工業の 会長さんの お孫さんなのよ! 両ちゃんもヨトタ自動車 知ってるでしょう? 輸出部門で 日本最大の企業よ! 年商8,000億以上で 世界有数の企業! そこのご子息よ 伊集院さんは!

そんな真顔で言うほどのもんじゃないだろ
ひらたく言えば車屋のせがれじゃないか!
両ちゃんは平和でいいわねえ単純で!
あたぼうよ物事ふかーく考えない主義だからな!
部長おそいじゃんか! はやくきて待ってるんだぞ
今日は休みよ! こないわ!
なんだって!? 冗談じゃないよ!
それじゃはやくくることなかったよ!! ちくしょう!
ドン
奥の部屋でテレビ見てるからメシつくってくれ!
部長がこないとわかるとすぐこれだから…
部下だけ働かせるなんてあまい! だれが働くもんかよ
おーい麗子!

ディドリーム
ビリーバー
どうかしたの両ちゃん!
そこの新聞とってくれ!
手をのばせばとどくじゃない!
面倒くさいんだよ
そんなことでいちいちよばないで忙しいんだから
おいおい麗子
頭かゆい!かいてくれ!ここん所
自分でかきなさいよ!
ハラへったメシつくってくれ!高級フランス料理!
もう幼稚園の保母さんになった気分ね
おっヨガの体操をやってる!
このように足を
そういえば近頃運動不足だからな!

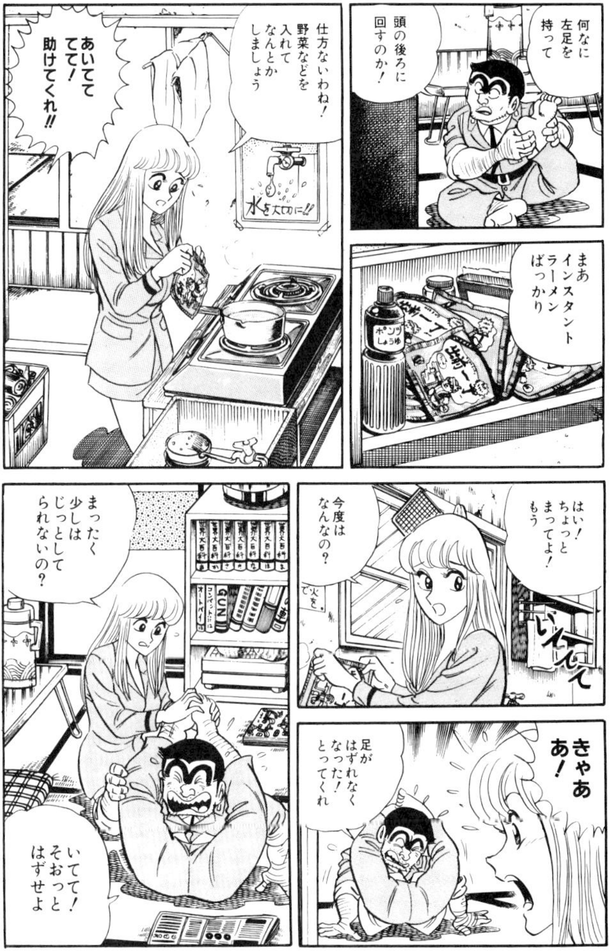
何なに左足を持って
頭の後ろに回すのか!
まあインスタントラーメンばっかり
ポンヅしょうゆ
仕方ないわね!野菜などを入れてなんとかしましょう
水を大切に!!
あいてててて!助けてくれ!!
はい!ちょっとまってよ!もう
今度はなんなの?
きゃああ!
足がはずれなくなった!とってくれ
まったく少しはじっとしてられないの?
いてて!そおっとはずせよ

よいしょっ!
ゴキ
ぐがばらぶば!!
ムチャするな人間の関節がそんな方向に曲がるか!
骨がはずれてしまうだろうが!!
ごめんなさい
脚はとれたけど腰は曲がったままだわ!
再びそっともどせ!
飛び上がるほど痛いんだからなそっとだぞ
わかったわ!
えい!
ボキッ
ぎゃあ!
ぐわっ!!

ごめん! 力が少し 強すぎた!?
殺す気か!! バカ野郎!
これだから 女は 恐ろしい!
本職の 接骨医の 人をよんで くるわ
そうしてくれ このままじゃ 日常生活が できん!
うごけない ことも ないが…
ズル
ズル
ほとんど 尺取虫 だな
すみま せーん
くそ! こういう時に かぎって!!
ズルズル
ドギャッ
ちょっくら 道を たずねたいん だけんども…
おまわり さん いるかい?

何か用か!?
ズル
いいえ
べ…別に…
ズル
道を聞きにきたんだろ!
も…もうわかりましたから…
せっかくここまできたのに!てめえ
ダダッ
ひゃあ
グイッ
ガッ
ぐわっ
あいたたた!!
ズゴゴッ
ぐばっ!
げふっ!!

あれが私が班長をつとめる派出所です
ほうあそこか
あっ部長さん!
おっ麗子さんか! 彼女は部下です
方面部長がぜひ派出所を見学なさりたいと言うのでな
そ…そうですか…
住民に愛される派出所をモットーにしてます
げっ部長! 今日休みじゃなかったんですか!?
ここのバカなんの真似だ! 人の足ばかり引っぱりおって!
これでは愛されるというより住民に不気味がられると思うぞ!

★週刊少年ジャンプ1986年50号

ジャーマネ両津《りょうつ》の巻《まき》
出勤《しゅっきん》シリーズその②は
中川《なかがわ》くんだ！

ザシャアアアア
ふう
朝日が目にしみるな！

Jules
ChristianDior
坊っちゃま 英国より バーバリーの 新作が 届きましたので コーディネート しました
ありがとう カシミアの コートは 好きなんだ
チチチ…

JAGUAR《ジャグワー》は低血圧だからな今朝のごきげんはどうかな?
バタム
キュッ
OK!! いい目ざめだ!
新品の制服がトランクにはいってますから
うむ 署で着がえる

前ページの中川のブランド品を解説しちゃうぞ!!

時計(オメガ)サイフ(カルティエ)オードトワレ(ジュール)拳銃(ベレッタM92SB-Fカスタム)アップサイドホルスター(ビアンキ・カスタム)サングラス(モレル)
スーツ(チェスターバリー)シャツ(ニューアンドリングウッド)ネクタイ(フィンテックス)ベルト(モラビト)コート(バーバリー)靴(フェラガモ) 下へ続く!!

アタッシュケース(パップワース)マフラー(ジョンストン)手袋(ダンヒル)キーホルダー(ロンドンパッチ&ボタン)カフス(ターンブル&アッサー)タオル(ジャラ)ソックス(パンセレラ)ブリーフ(リザンツァ)車(ジャガーEタイプロードスター)

中川さんがきたわよ
きゃあ
きゃあ
な なんだ!?
きゃあ
中川さんサインして!
あたしにもサイン
こっちが先よ!!
先輩!! 助けてください!
こっちへこい! はやく!
こら どけ! ちれ!!
何よ このおまわりさん
圭ちゃん はやく 中へ!
あいててて! このバカ!

これじゃ仕事にならないわね！
ガヤガヤ
女のパワーはすごい！かみつきやがった！
MHK《エムエイチケー》特集の「若いおまわりさん」におまえが出演してからこのありさまだ！まるでアイドルスターだぞ
ファンの女の子たちずっといるつもりよ
中川サインをかいてやれ
サインなんてかいたことありませんよ！
適当でいいんだよ！こんなもの！
サインやるから帰るんだぞわかったな！
ガラッ
きゃあやったァ
キャー
きゃあ
押すんじゃない!!ひとり一枚だ押すな！
ワァ
キャー
テレビの影響はすごいわね！
まさかこんなことになるとは…

翌日
おい 中川は どこだ!?
どうしたの 血相を 変えて!?
今 パトロールへ 出てるわよ
はあ はあ
たしか 現場撮影用の カメラが あったな!
ガラ
どうしたのよ 急に!?
中川のファンの 女子中学生から 聞いたんだが 学校で中川の 生写真が500円で 売られてる そうだ!
まさに アイドル化 してる
これを 見のがす 手はない! わしが今日から 中川の マネージャーを やる!
もうけ話は なんでも 首を つっこむ のね

えっ！ボクの写真を撮るんですか!?
そう！外勤警官は地元とのふれあいが大切だ
これも住民サービスおまえの写真を少女たちにあげるのだ
しかし…はずかしいなあ！
無断で写真撮られるな！カメラを見たら逃げろ！
まるで芸能人なみですね
さあどれでもよりどり1,000円だ!!
4枚買えばサービスで3,000円におまけだ!!
押さないで！写真の数はいっぱいあるからね!!
サイン入りの方は一枚1,500円！こっちは限定品だ！
キャア
ワア

すごい! 飛ぶように売れるぞ!!
これは実においしい商売だ!
先輩電話です!
ガラ
きゃあ中川さんよ!
こら! 中川の写真を撮るな!
許可なく撮影してはいかんぞ!
もしもし! うむ 会員証の印刷が上がった!?
よし! ついでに追加たのむ 500枚な!
会員証がどうのと言ってるわよ
どうもあの写真あげてるのじゃなく売っているような気がするんだけど…
それでよ
ゴチャゴチャうるさいぞおまえら!
中川はさっさとのこりの写真にサインしろ!!

これがファンクラブの会員証！
これがあれば年一回のファンの集いに参加できる！
中川ファンクラブ
君の写真をはりなさい
ジャーン
友人を紹介し5人会員にすると特典としてサイン入りハンカチがもらえるさらに10人を会員にしたら なんとゴールド会員になれる!!
今なら入会金2,000円のところ1,000円にサービス!! 月300円で一年分3,600円 合計4,600円だ 安いだろ！
中川バッチ！よりどり300円
中川サイン入りふでばこ
ゴールド会員になるとどういう特典があるの？
ビクッ
うむっ！するどい質問だね！
ゴールドで美しい！ とか人に自慢ができるとか色いろあるんだ！
ゴールド会員になったら くわしく説明しよう！
会員証のウラがすごい！ブロマイド バッジなど中川グッズを買うと一点のスタンプを押してもらえる
千点でトランプ 十万点でテレホンカードがプレゼントされる
中川くん
十万点なんて気の遠くなる数字ね！
なに言ってるのすぐだよ！あっという間だよ！
ガヤ
ガヤ

なかなか会員にならんなあこいつら! しっかりしてる!
安くして量で勝負したほうがよさそうだ!
突然値下げしました! 4,600円のところ半分の2,300円でいい!
あたし会員になる!
あたしも!
さっきから一所懸命何してるの?
ミュージックテープの製作だよ
ガチャガチャ
えーっ圭ちゃんのテープ!? いつレコードだしたの!?
こら! 商品にさわるな!
LIVE in BUCHO no IE
NAKAGAWA
以前部長の家でカラオケ大会やっただろあの時のテープを編集してつくった!
まあ! ひどい! インチキ!

バカ者 6曲はいって 800円なら 良心的な 定価だ!
おまけに 一本一本 ダビングして 手づくりだぞ
あら!? この本は?
中川圭一 写真集の 原本だ
その本を 10円コピーで コピーしてきて 500冊製本する けっこう 大変だぞ
中川圭一 写真集 3,000円 売り 南津出版
温泉旅行の 時の写真 ばかりじゃない! ロングばかり!
中川が 悪いんだ!
ジャーマネのわしが すべてプロデュースして テープや写真集 だしてやるというのに 非協力的なんだ あいつ!
中川圭一 写真集 3000円 売り 南津出版
だから ある写真や テープで製作 してるわけよ
やってることは サギ同様 じゃない!
なんてこと 言うんだ!! バカ者!

あいつにも印税として0・001%のリベートをわたしているんだ!サギとはなんだサギとは!!
タレントを売りこんでジャーマネが中間搾取するのは当然だろ!!芸能界の掟だ!!
芸能界の方式がわかったらおまえも協力してくれ!
何をするの!?
中川のサインそっくりにブロマイド50枚にサインをかいてくれ!
やっぱりサギだわ!
そうなんだこのところの先輩のうごきはすごいんだよ!
金もうけとなると人の10倍はうごくもんね!あの人!

ファンの子が持ってるんだよ ボクのイメージビデオを！
中川圭一
まあ!!
レンタルでビデオカメラ借りてきてボクをかくし撮りしてダビングし一本2,500円で販売してるんだ！
元は1,000円くらいしかかかってないよ！
中川圭一
ヤング
ポリスマン
中川 喜べ！テレビの仕事をとってきたぞ!!
えっ テレビに出るんですか!?
あたりまえだ！アイドルにとってギャラは安くともテレビは神様だ
一回出演するだけでレコードの売り上げが3,000枚はちがう！
あのカラオケテープは直売と通販のみじゃないですか！
今に拡張する！
アイドルといっしょにおまえは本格派だからな パープリン番組にジャリタレといっしょに出てはレベルが落ちる 格調高いのを選んだ！
どういう番組です？
まずTBF《ティービーエフ》の「笑ってガチョンクイズ」そして「がっちり買いまんねん」の2本だ
タレントでなく視聴者として出演するだけじゃないすか!?

来月 荒川《あらかわ》遊園地で ファンの集い やるからな
予定表
今や会員 2,000人だ! このあたりで 一度くらい ファンに会わんと 暴動がおきる
友人を10人 紹介すると ゴールド会員に なれるシステムが 大当たり なんですって!
まるで ネズミ講 だな…
ガラッ
おい 両津!!
あっ 部長!
中川圭一 スケジュール表
こんな物を 中学生に 売りつけたのは おまえだな!!
中川圭一写真集
アンニュイなひととき
両津出版
いや その! まあ たしかに そうですが…
あまりに 中川君の人気が あるもので それならば 地域住民の サービスとして 女子中学生の 方がたに おわけ したんです これも警察の イメージアップ…
定価3,000円 しっかりと とってる だろうが!
どこが イメージ アップだ!

ファンクラブの会費を とってるそうだな! その金はどこにある
ぜんぶ会の運営につかいました ホント!
ロッカーの中に金庫がかくしてあったわ
あっ バカ!
なんと! 200万近くあるじゃないか よくこんな荒かせぎをしたものだ…
部長!! そのお金はファンクラブの会誌やバッジをつくるため必要なのです!
けっして ひとりじめしてるわけじゃありませんよ! 部長!!
事務所として そのくらい蓄えがないと ファンクラブの運営に支障がでるのです
だれが芸能事務所を経営しろと言った!?
いや!! 自主的にやったのではありますが…
かくして両津《りょうつ》芸能事務所《げいのうじむしょ》は つぶれ お金はファンの手元に もどった
中川のファンは個こに ファンクラブを つくり 相変わらずの人気であった
間

ちくしょう せっかく つくった ファンクラブを つぶされて しまった!
あのペースで ファンが増えて いけば 毎月 100万円は もうかったな
テープやビデオの 売り上げも すごかった からな
人気アイドル ひとりかかえてりゃ ビルが建つって 本当だな!
実に 悔しいな!
悪い商法 ばかり するからよ!
あの! 部長さんに これを わたして くれますか?
えっ なんだ そりゃ?
町内の婦人会で 旅行へいった時の お土産です!
なんで また・・・ あのガンコ・・・ ジジイに!?
部長さん 婦人会では すごく人気が あるんです のよ!
そう! 熟年の しぶさが すごく いいんです! ファンが いっぱい!
なるほど! ファンが いっぱい!
杉《すぎ》良太郎《りょうたろう》 以上の 人気 ですわよ
ガタッ

秋の交通安全週間
はい
チーズ
パシャッ
両津のいとこにわしのファンがいたとはな！
もう
部長の写真をほしがってましてね
今度はカラオケを！
部長の歌にもしびれてるんですよ
12曲歌ってください
まず十八番の「とまり木《ぎ》」から！
すでに写真集もつくっちゃったのよ
今度は地下組織でファンクラブを運営するんですって
バレないように！
男のためいき
ファンが主婦層だから会費などそうとうとりそうだね

★週刊少年ジャンプ1986年51号

銘菓《めいか》ゴキブリくんの巻《まき》
出勤《しゅっきん》シリーズその③は
両《りょう》さんだ！

ザザザアア
ザアア………
ゴボ
ゴボ
さっぱりした！今日も快便!!
ふああねむい…
ポリ
ポリ
のそ〜〜
東京ワンレン娘
ううっ今日は冷えこんでいるな
ぶるっ
そうかストーブこわれてるんだっけ…
Rinnai
止
開
パチン

これぞ
生活の知恵！
うひょう
あったかい！
ボーナスまで
なんとか
これで
乗り切ろう！
ボボボ
エロトピア
チャルメラ
みかん
XF-24
ふむ
ふむ
クン
クン
このシャツは
比較的
においが
少ない！
BEET

第一候補として こちらに エントリーしておこう
つぎは…うわっ くせーっ!!
なんだ!? シャツがくさってるぞ!?
そうか! ラーメンこぼした時 これでふいて そのままだったんだ!!
キノコまで生えてる!! これは洗ってもダメだ
8年間の天命をまっとうされて ここにご臨終されました
なんまいだ〜
ゴミ
まだ 何かにおうと思ったら てめえのパンツだ!
考えてみたら ここ2週間 とりかえた記憶がない
バーゲンの時買っとけばよかったな! くそ!
のこりの2枚は仮死状態だし…
しかたない!

パンツ全体にミカン汁をなすりつけにおいを中和させる
これぞヨーロッパの香水方式！
さらに念を入れウラがえしにしてはく！
クル
クル
これでほとんど新品同様
うーむグレイト！

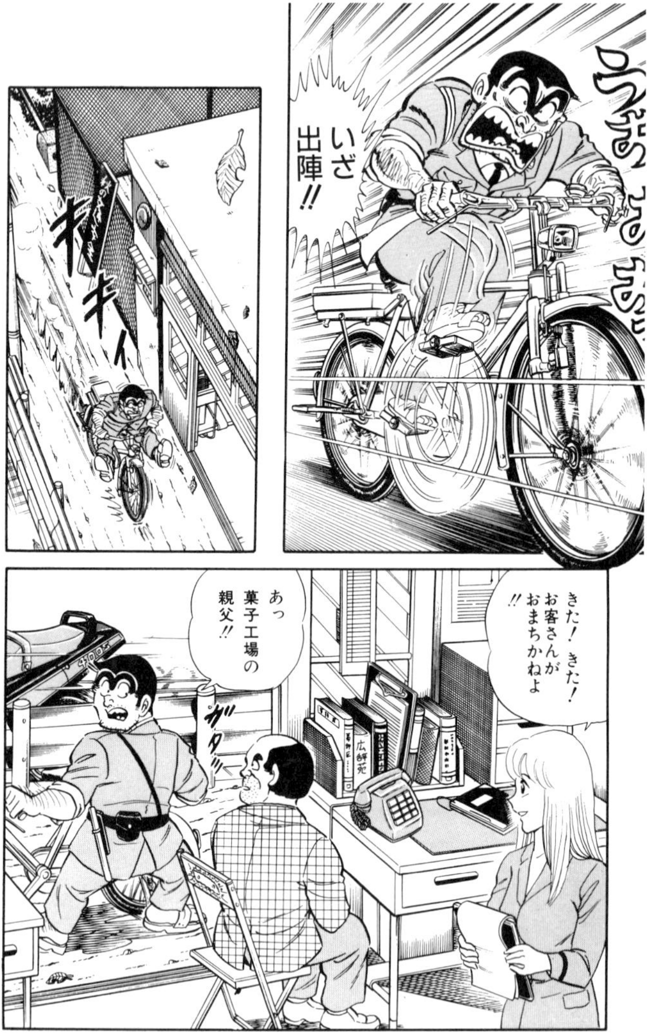
いざ出陣!!
キキイ
きた! きた! お客さんがおまちかねよ!!
あっ 菓子工場の親父!!
ガタ

ちょっと相談があってきたんだ
会社がつぶれたのか!?
本当にやばいんだ新製品の大甘《おおあま》ポテトチップスが大ハズレ!
だから言ったろ! わしもそれで一度コケたって!
両さんのアイデアをかりたいんだよ このままじゃ年が越せないよ
わしはアイデア料高いぞ
かまわないよ! ヒットが出れば金が はいるから
よし! 商談成立!!
中小企業のお助けマンとしてちょっといってくる
しっかり助けてあげてね!

日暮里製菓工場
日暮里製菓工場
見てくれ この返品の山!
近頃の子どもは お菓子を 食べなく なってしまったんだ
チョコボール
日暮里製菓
ポテトチップ
わしらの頃は チョコレートなど 高級で 喜んで 食べたものだが…
今のガキだって いっしょだよ けっして食べなく なったんじゃ ない!
じゃ どうして 売れないいんだい?
そりゃ おまえさんの 売り方が 悪いんだよ
かといって 大企業みたいに CM《シーエム》ジャンジャンやれる わけない!
となれば あとは オリジナル商品を だすしかない ほかとちがう やつをな!
最近では 商品名で 消費者に アピールする お菓子が ふえたろ!
チョコボール

例の「鈴木《すずき》くん」「佐藤《さとう》くん」の大ヒットだ
ただのスナックを名を変えただけで すごく売れたという見本だな!
じゃあうちも「渡辺《わたなべ》くん」というのを…
そこがトーシロというんだ! そのままマネっこしてはいかん!
たとえば変化をつけてこう!
新発売! サンドラゴンザレスくんとアーノルドハイリッヒフンバルトシュニッテンポポくん
なるほど!! たしかにアピール度は強い!
だろ! これくらいのインパクトがなけりゃ大企業に勝てん!
チョコボール
新製品も いいが その前にこの返品を売りさばいてしまおう
えっ!? どうやって!?
今時ただのチョコボールじゃアピールが弱い!
このチョコボールにホワイトチョコでコーティングしてだな
乙女チックホワイトチョコボール天使の涙
あるいは海からのおくり物アドリア海の真珠
海からのおくりもの アドリア海の真珠

さらにホワイトチョコでコーティングすると高くなってしまって…
じゃ黒のままかそうだなうーむ
じゃそのものズバリ!「巨大なハナクソくん」
そんな名じゃだれも買わんでしょう
だから素人だというのだ!今の世の中何が当たるかわからん!
さらにこのチョコボールをこのように…
まとめてひとつのかたまりにすると…
古都の味「大仏《だいぶつ》くんの後頭部」!!
さらに小さくすると「ぶどうくん」バラバラで「キャビアくん」丸くすると「数珠《じゅず》くん」
本当に工場が立ち直れるだろうか…

中川　このアイス　食べてみろ!
新製品ですか?
そう!　おまえが「うまい」と言ったら発売する
重大だな
パク
うわっ　なんだ　まずい
何かがはいってる!?
ブッ
そんなに　まずいか!?　わしは平気だったぞ!
両ちゃんは特別よ!
げ～
試作品
いったい　何を入れたの?
ギョウザだよ!
うげえっ!!
じゃ　麗子　こっちを食べてみろ!
ぬっ
えっ!?
そんな心配顔するな　カエルやヘビがはいってるわけじゃない!　ちゃんとした食べ物がはいってるんだから
えっ　ええ!

ぐっ
な…に
これ…?
ししゃもが
一匹丸ごと
はいってんだ
よ
うぷ
ダダッ
あっ
もったいねえ!
アイスで
タイヤキ型にして
中に ししゃもを
入れたら
おもしろいと
思ったのに…
おもしろい
だけで
だれも 食べ
ませんよ!
中川
もう一本!
これは
うまいぞ
ぬっ
中身
しだい!
中は
なんです!?
とても
さわやかな
「なっとう入り」
結構
です!!
変わっていれば
いいってもんじゃ
ないわよ!
ほかに どんなの
あるの?
えーと
しゅうまい
玉子 しらたき
コブ巻き
ハンペン ジャガイモ
……
試作品
まるで
・・・
おでん
だな

女子高生向きのかわいいのもある
今度はなーに?
試
歯ブラシ型のクッキーにチューブチョコをしぼって食べるんだ
名づけて「おはよう!歯みがきくん」
チューブチョコ入り
100円
へえ これならかわいいわ 売れそうよ
だろ! もっとあるぞ
試作品
「おはよう朝便《あさべん》くん」という…
どこが女子高生向きにかわいいのよ!?
何もなぐる事ないだろ! 一所懸命考えたんだから!
試作品
ウイスキーボンボンでウイスキーの代わりにコーラを入れた
うむ これならそれほど違和感はない
そうか! こっちも食べてくれ!
モグモグ

ラー油入りの「激辛チョコ」
ぐわっ
ひいいいいい
どうしてまともなのがつくれないのよ!!
そばつゆ入りチョコもボツ
日暮里製菓工場 (000) 0000
うにチョコ・・いくらチョコも食べたとたんはきだされた!
日暮里製菓工場
レ・バ・ニ・ラチョコにいたっては食べてもくれなかった!
ケンちゃんチョコちゃん
チョコイイデスカ?
チョコカレー
チョコベビー2
タヌキの金玉袋
奥さんポテトです
奥さんチョコです
奥さん米屋です
元祖コンペイト
こうみるとボツの方が多いな
ヒット作の陰には多数の駄作も必要だ!
コチョチョコ
くすぐり合って食べよう!!
開発No.《ナンバー》007・あ・い・スシなどの試作品《サンプル》ができてるよ
BIGチョコ 直径150cm
スモールチョコ
ほうどれどれ?
アイスのシャリにマジパンのとろ・玉子・イカの3点セット
うむ!「手づかみアイス」というキャッチがきいてるぞ!
手づかみアイス!
愛《あい》すし
百円 100YEN
日暮里製菓

開発No.023「ぼくらのヒーロー ゴヅラくんのはなくそくん」
ゴジラではなくゴヅラだぞ! 版権のうるさい所だけに気をつけろよ!
ゴヅラくんのはなくそくん
開発No.110「陽気なゴキブリくんハウス」ブラックチョコのお菓子です
いままで どこの製菓会社も使わなかったヒーローだ! ツヤがリアルでいい!
陽気なゴキブリくんハウス
チョコレート
そのバリエーションとしてミルクチョコの「みんな大好き愉快な茶羽ゴキブリくん」
さらにホワイトチョコの「北海道《ほっかいどう》に住めない白い妖精 北の国からやってきた白衣のゴキブリくん」
みんな大好き愉快な茶羽ゴキブリくん
このようにおなじ型で3種類のパターンができ 3倍売れる! すばらしいアイデアだろ!
これぞ「トミカ方式ミニカー商法」と名づけている
白いゴキブリの商品名は「スイス山岳部隊 白の戦闘服に身をつつんだゴキブリ軍団」けどうだ?
男の子向きだが… 今ひとつ!
じゃあ「脱税ゴキブリ 日衣集団! 領収書はたしませんよ! 日曜日はベンツでゴルフ通いで大金持ち! うらやましいじゃねえかくん」
そんな長い商品名はダメだよ

それから人気のない「森のクマさん」あるだろ
これが売れなくて…
森のクマさん
ビスケットの上にチョコで黒くぬると
こうすりゃあっという間にパンダだよ
ペタ
そしてクマの所をパンダのシールをはる
森のパンダさん
ビスケット菓子
100円
こうして「パンダの赤ちゃん誕生記念」と書いたリボンをしめればマスコミの波にうまく乗せて売れる
なるほどこれはいけそうだ
黒部ガム
さっそく小売店へ売りこみにいこうぜ
はい
おばあちゃん！'87年はゴキブリの時代だよ！
今ヤングの間じゃゴキブリが静かな大ブームなんだよ！
明永牛乳
梅川パン

原宿《はらじゅく》いって ごらんよ ゴキブリのバッジを つけた女の子で いっぱいだよ！
そ…そうですよ おばあちゃん！
ちょうだいな！
おっと お客さん だ！
あっ ゴキブリチョコだ ほしい！
えっ ぼくも！
こら だめだよ まだ 決まって ないんだから
うちでも 100個ほど もらおう かね
毎度 あり！
いやあ 本当に ブームとは ラッキーだったな！ 両…
ご苦労 だったな
両さん!! さっきのは インチキ……
しっ 声が 大きい!!
あ… あれ!?
銃剣 頭に刺した 会長の商法に 比べれば かわいいもんだ！ さあ つぎいくぞ！
うーむ 敵にまわすと 恐ろしいが 味方にすると たのもしい人だ

原宿や下北沢《しもきたざわ》の お菓子屋で ハナクソくんや ゴキブリくんが けっこう 売れてる
手形も 助かって なんとか いい 正月を迎え られそうだと 言ってた!
よかった ですね! さすが 先輩だ!
今回は モニター探しに 苦労したよ!
「女子中のアイドル」って いうビスケットの モニターを 探しに 女子中学校の間で ひとりずつ たのんでたんだ
そしたら 変質者と まちがわれて パトカーで 連れてかれた!
色いろ 苦労が あったん ですね!
あたりまえ だよ! 楽に金もうけ できりゃ 苦労ないよ
いやあ 両さん 先日は どうも お世話に なりまして
よう 順調に いってるか!?

おかげさまで! これ お礼です!
うひょ やったね
パチパチパチ
これで ストーブが 買えるよ
私も お菓子の アイデア 考えたんですよ!
クッキーの 生地で 「てんとう虫くん」と 「とんぼちゃん」
だめだ!
元もと かわいいものは だれでも考える マイナーなものに スポットを あてて かわいく 売りこむんだ
そう でした! すいません!
たとえば べんじょ虫くん とか タンくんに ゲロくんなどの 発想だ!
ニューポテト チップス イボジくん キレジくん このように つける
ほう なるほど
よく あんな きたない言葉が でるわね!
ゴキブリと 同棲してる から きたなさには 免疫が できてる らしい
110番

★週刊少年ジャンプ1986年52号

我《わ》が夢《ゆめ》フェラーリの巻《まき》
Ferrari
どうもいらっしゃいませ
中川さん先日買われたGTO《ジーティーオー》の調子はどうです？
最高だね10台まとめて買っておいてよかったよ！
GTOってヒップアップクーペのギャランGTOのことか!?
MITSUBISHI GALANT GTO-MR
BMW風フロントグリル
65年型
おしりがピンとたてる
ちがいますよフェラーリGTO
このテスタロッサは？
フェラーリファンはいっぱい知ってますがこの車をお買い上げの方はハンパじゃありませんよ
今日納車なんです

一リの巻《まき》
TEAM
11
ROSSO RACING
2,500万円も する車 よく買えるな どうせ ドラ息子が 乗るんだろ!
いいえ! サラリーマンの かたです!
まもなく 本人が お見えに なる時間…
あっ きました!!
なんでも 退職金を前借りし マイホームを 売って このテスタロッサを ご注文なさったんだとか…
そこまで命 かけなくても いいじゃないか!
あの自転車の おっさんが オーナーか! うーむ…
生活感が にじみでて フェラーリとは 結びつかん!

我《わ》が夢《ゆめ》フェラ
2時 納車というので会社を早引きしてきた！
私のフェラーリはどこかね!?
は
はっ
カラーン
カラーン
こちらに用意してあります
おおッ すばらしい！ビューティフル！
おたくフェラーリが大好きなんだね！
大好き!?

大好きなんて
ものじゃ
ありませんよ
人生そのものと
言っても
いいくらいだ
フェラーリの
オーナーは
生涯の
夢ですよ
幼い頃から
車が大好きで
特にレースが
好きでした!
当時は日本でも
モータリゼーションの
幕開けで 各メーカーが
レースに全力を
注いでました
しかし レースの頂点F1《エフワン》レースの
レベルは高い 世界中から
高性能マシンが集結する
その中で毎回 優勝の
チェッカーフラッグを受けるのが…
フェラーリチーム
なのです!
無敵の強さ 世界一
速い車フェラーリ
それからは もう
フェラーリ信者ですよ
フェラーリに乗りたい
自分の物にしたいと
その頃から固く
誓ったのです
Ferrari
もちろん買うなら
最高峰の512BB《ビービー》
金を ためて ためて
ためて ためて…
しかし 結婚のため
ためた金がパア!

また金をためて ためて ためて…
しかし 子どもが 生まれて またパア！
くじけずに また 金をためて ためて ためて…
今度はマイホームを 買わされパア！ 20年ローンで20年間は 貯金はムリ！
20年ローン 月々70000円
私は今 40歳 今後20年 また金を ためても 60歳は軽く 超える…とても フェラーリを乗りこなす 自信はない…
今しかない… この時をのがしては 一生 悔いを残して しまう！
そう決断し マイホームを 売って このテスタロッサを 買ったんです
よく家族が 納得したな…
家族は主人の 言うことを聞くのが 当たりまえ！ 納得させましたよ！
でも 家を売って しまうとは… また建てるのが 大変でしょう
建てません よ！ フェラーリに 住むつもり ですから
えっ フェラーリ に!?

まさか!? 車の中に 家族4人 暮らすなんて!
交通安全週間
実際 そのおっさんの 所へ行って 見たんだよ なっ!
そう! 本当に 2《ツー》シーター スポーツカーの 中に住んで いるんだ
それが 本当だから すごい!
そのおっさんの フェラーリへの 入れこみようと いったら 信じられん くらいだ!
背中に フェラーリマークを 刺青《いれずみ》しようと 本気で 考えてるんだぞ
キーホルダー コップは おろか フェラーリマークが 入ってる品すべてを 持ってるんだ その数2,000点だぞ! その最終グッズが テスタロッサだ
まさに フェラーリ 信者ね!
マイカーで なくて マイホーム カーだ! 車に住むなんて ギネス物だよ
今度 麗子さんも おじゃましたら? びっくりするよ
ローンズ
UENO
アメヤ

母ちゃん ただいま！
出井野《ディノ》かい!? おかえり
おなかがすいたよ 何かない？
ダッシュボードにケーキがあるよ！
あった！ あった！ おいしそう
母ちゃん テレビ つけていい？
バッテリーが上がるから エンジンかけて からにしな！

ズオオオオオン
わかったよ！
エンジンの音がうるさくてよく聞こえないんだよな！
いけない今日3時からスーパーの特売だったっけ！
出井野買い物にいくよ！洗たく物しまうの手つだいな！
ちぇっテレビいいところなのに…

弟の手酢田老差《テスタロッサ》がまた むかえにきてほしいって!
まったくマイカーがきてからぜいたくになったね
かえりにいじめっ子にいじめられるんだって…名まえが変わってるから!
おまえ達の名は父ちゃんの趣味でつけたからね父ちゃんを恨みな!
ディスカウントスーパー
ディスカウントスーパー
秋物大バーゲン中
11月30日まで3F会場
売れのこり水着大特売
2F会場
出井野はやくおいで!
スーパーにフェラーリで買い物とはすごい金持ちだな!
ガヤ
一見 普通の下町のおばさんに見えるが!? 金持ちなんだろうな?
ガヤ
下町小学校

よしのりちゃん！またせたざあます！おベンツでむかえにきたざあますよ
新車のおベンツで家にかえりましょうおベンツで！
はーい
ムリして500万のベンツ買ってよかった！みんなの注目の的だわ！
よしのりちゃんおベンツがよごれるからクツをぬぎなさい！
カッオオオオ
ザー！
手酢田老差はやく乗りなさい！
はーい
ドドド
この車音が大きいから遠くからでもすぐわかるね！
まったくやかましい車だよ！
ガオオム
ままくなんて見えっ張りざあましょ！フェラーリでむかえにくるなんて…

電話だよ！
出井野
出なさい
はーい！
もしもし
あっ
父ちゃんか!!
今日かえり
おそくなるの!?
8時頃
会社に むかえに
きてほしいの!?
うん わかった！
家をタクシー
代わりに
するんじゃ
ないよ！
こんな
乗りにくい車
うごかすの面倒
なんだから…
母ちゃん！
あまりブレーキ
踏まないでよ
勉強してるん
だから！
そうかい
すまな
かったね！
秋の交通安全週間
先日 この近くで
誘拐未遂があった
学校周辺などの
パトロールを強化
するようにしろ！
えっ
誘拐！

犯人はあまり利口じゃねえな
えっどうしてです!?
下町のガキなんかさらってどうしようというんだ
わしなら金持ちの山の手にターゲットをしぼる!
公僕とは思えない発言だ
ほらもう朝だよ!
ガバッ
う〜ん
はやくラジエーターのお湯で顔を洗っておいで!
ふああねむいなあ!
もうすぐごはんがたけるからね
あら父ちゃんまだ会社にいかないのかい?
きのうワックスがけするのをわすれてたからな
testarossa

思わずほおずりしたくなるほど美しい
やはり家を売ってよかった!
運転には十分注意するんだぞ! 傷つけたら離婚だぞ!!
わかったからはやく会社へいきなよ!
ガヤガヤ
ガヤガヤ
この小学校にフェラーリでくる金持ちがいるんだ
そりゃたんまりとれそうだぜ
いた あいつだ!!
小学校
下校時に車でつれさられたらしい 身の代金5,000万円を要求してきた
えっ フェラーリ社の子どもが誘拐された!?
5,000万円だって!

犯人はバカか！ あのおっさんは 金一円も ないぞ！ すべての財産を テスタロッサに つぎこんだんだ！
外見は そう 見えませんよ！ フェラーリを 乗りまわして 派手に見える から！
あれは車で なく 家だよ！ あのおっさんの 命だぞ!!
とにかく 現場へ いってみま しょう！
首都高速0号線 のぼりランプに 現金 8,000万円入りのバッグを 車の上に乗せておけと いうのか！
現金は間に あわなかった のでバッグの 中は紙です
それが知れると 命さえも あぶないので 絶対この場で 捕えねば！
車のまわりは 私服が かためて いるし 地上にも 警官がいる 心配いらん！
犯人が のこのこ現金を とりに きたら すぐ ご用になる！
近頃は ドライブばかり して 息子を ほったらかしに してたから…
うーむ！ 車中心の 生活だからな あんたは！

ちえっ
のんきに
ツーリング
しやがって!
あっ
しまった
やられた!
とまれ!!
ぐわっ!!
突破
されたぞ!

はやく犯人を追えっ!!
この渋滞じゃバイクに追いつけませんよ!
にせ金とバレたら大変だぞ
しかし!どうしようもありません!!
手酢田老差…
あっ
ダッ
ガタッ
ガオオオッ
あっフェラーリが!!

すげーっ
対向車線を
突っ走って犯人を
追いかけて
いったぞ!!
先輩!!
ボクらも
追いかけ
ましょう!!
メチャクチャ
走行なら
こっちが
ご本家だ!!
どいた!
どいた!

よかったな! 無事に助かって!!
ありがとうございます 本当に!
しかし フェラーリ ボロボロだぞ 直すのに 金がかかるな
いえ フェラーリは あのまま 廃車にします
家族を犠牲にしてまで もう乗れません 一番大切な物を 失うところでした
それにしても すばらしい ドライビング テクニックで 犯人を捕え ましたよ
私にとって 一世一代の グレートレース でしたよ
安全第一
家も なくなって しまったな!
また一から はじめますよ! 生まれ変わった つもりで がんばります

犯人逮捕の全面協力ですよ！体当たりでつかまえてくれたのだから
うむ その通りだな
そこで金一封なんてケチなもんはやめました
家をプレゼントしたんです
家を!?
中川が おなじ車マニアとして夢を追いつづけてほしいと…
この家を建ててあげたんです！
いやあ 両津さん暮らしやすいですよ！この家は落ちつきます
なるほど これなら車の中に住めるわけだな
まさにマニアの窮極ですよ！
YAMADA

★週刊少年ジャンプ1986年49号

ボーナス争《そう》奪《だつ》戦《せん》!!の巻《まき》

トをしっかりと
バイクにもシートベルトを
MARTINI POLICE
総務課
忘年会のお知らせ
はい 両津さんの ボーナス!
ガチャ
これが10万円玉かよ ずいぶん なさけねえ姿だな まるで コインチョコだ!
あんたが 10万円金貨で ほしいと言ったんでしょ!
警察官ボ集
コンサート
お問合せ 110番
総務課 全員で 朝9時に ならんで やっと 4枚 手に 入れたんですよ
そうだったな 悪かった! ご苦労さん!
半年間の 血と汗と 涙の結晶が 金貨4枚か う〜〜む
労働意欲を 失くして しまうな

あなたがほしいと言うから! みんな苦労して…
わかった! ありがとう 感謝してるよ うん
これが将来利殖を生む金の玉子だと思えばいい
その前に借金とりの魔の手からこの金貨をちゃんと守らねばいかん!
両さん出てくるのおそいな
うら口もすべてかためた心配いらん
バイクにもシートベルトを
あっきた!!
正面から堂どうと出てきた
これは意外だな!
両さん! 往生ぎわがよくなったな! さあボーナスを!
う…う! それが… それが…
この不況でボーナスが出なかったんだ…
なんだって!?
そんなバカな!?

本当だよ 不況知らずの 親方日の丸だと 信じきって いたのに…
その親方が 最近 赤字で あぶなくなって きたから しわよせが わしらにきたんだ
そういえば 公務員とて 安心できない 現代だからな!
しかし ボーナス カットとは…
ううう 本当なんです 信じてください!
そんなに 疑うなら ボーナスを 持っているか しらべてください
ようし しらべて みる
ない!
本当に どこにも ない!
パンツの 中だって ないですよ ほら!
うーむ どこにも 金らしき ものは ない
1円も 持たず 日常どうやって 生活してるんだ?
私なんか いつ解雇されても 不自然じゃないから それを思うと 毎日が不安で 不安で…
両さんも不況の 被害者だよ
この人の場合は 自業自得だと 思うよ!
われわれ 自営業は 2倍働けば なんとかなるが 公務員 では…
ボーナス カットとは あまりに 悲劇です な…
ガヤ ガヤ

両さん わかった! 借金返済は 来年の春まで まとう!
うう… ありがとう ございます ご恩は 一生わすれ ません
わしは 総務課に 問い合わせて くる
おい! おい!
借金の ためなら 火の中でもはいる 男だからな! 信用できん
そこまで 疑わなく ても…
ボーナスも 出たし 今夜 飲みに いこう
じゃ 6時な!
うわ! 逃げた!
しまった やられた!
自転車で 逃げたぞ ーーッ!!
はやく 追え!!

あと一歩で だませたのに! くそ! プラモ屋の オヤジめ!
さすがに するどい ヤツだ!
ヴオオオ
うおっ 車で 追ってきた
自転車と車じゃ いくらわしでも 体力の限界が ある!
ようし あの手が ある!!
夢のパラダイス
ゴールデン遊園地
あっ 遊園地に 逃げこんだぞ!
OPEN
ガチャ
キイ
この人ごみの 中に はいりゃ さがしにくい だろう!
かくれんぼなら 大得意だ

けい帯受令器の中に1枚
拳銃のグリップの中に1枚
そして2時間かけて改造した…
サンダルの中に各1枚ずつ
そう簡単に見つかる所にかくすと思うか!
あいつらがあきらめて帰るまでのんびり観覧車にでも乗ってるか!

なるほど そこに かくして あったのか!
え!?
あっ おまえら!!
ボーナスを 10万円 金貨で 持ってたとは 気づかな かったよ
おりたら ちゃんと かえしますよ 本当!!
下に おりたら さいご また 逃げる気だっ
まかせて ください
でえいっ
ゲッ!! 飛び うつって きた!!
その人は酒屋の 店員で体育大学の スポーツマンだ!
くそーっ 若いメンバーを 加えやがったな!
さあっ ボーナスを だしなさい
さすが 体育大! 力があるな!
ゆれる だろうが あぶないぞ!!
グラ

あっ!
うわっ
金貨が…!!
あっ
しまった!!
金貨《きんか》が
下に!!
え!?
金貨は
だれにも
わたさん!
速見《はやみ》くん
きみも両さんに
つづけ!
飛び
おりろ!
ガヤ
ガヤ
ガヤ
わあ!
早く!!
とべっ!!
ムチャですよ!
200メートルも
あるんですよ!!
下まで!

トレビの池
ケロリン
今落ちた金貨をひろうなよてめえら!
あれはわしのもんだぞ
たしか1枚はこのあたりに落ちたと思う!
くそ!どこだ!?
おじいちゃんお金ひろった
本当かい!? どれどれ!?
ひろちゃんこれはお金じゃないよメダルだよ
ちえっ そうかあ
ビックリハウス
森永チョコレート
ハイクラウ
ピク
金のお金だと思ったのに…
VIKING

きみ!!
今金と言わなかったか!?
言ったよ ひろったの
どこにあるんだそれは!?
いたた 今すてちゃったよ
どこに!?
ガルルルル
ヒョウ (ネコ科) 原産地アフリカ
あの中に!!
きけんですので、ちかよらないで下さいね
この際"あぶない"だの"危険"だのという言葉はわすれよう
絶対とりもどす!
ちくしょう 手が とどかん!
オリにはいらないとムリだ!
うぬぬぬ
ギギ…
やった! 1枚もどった!

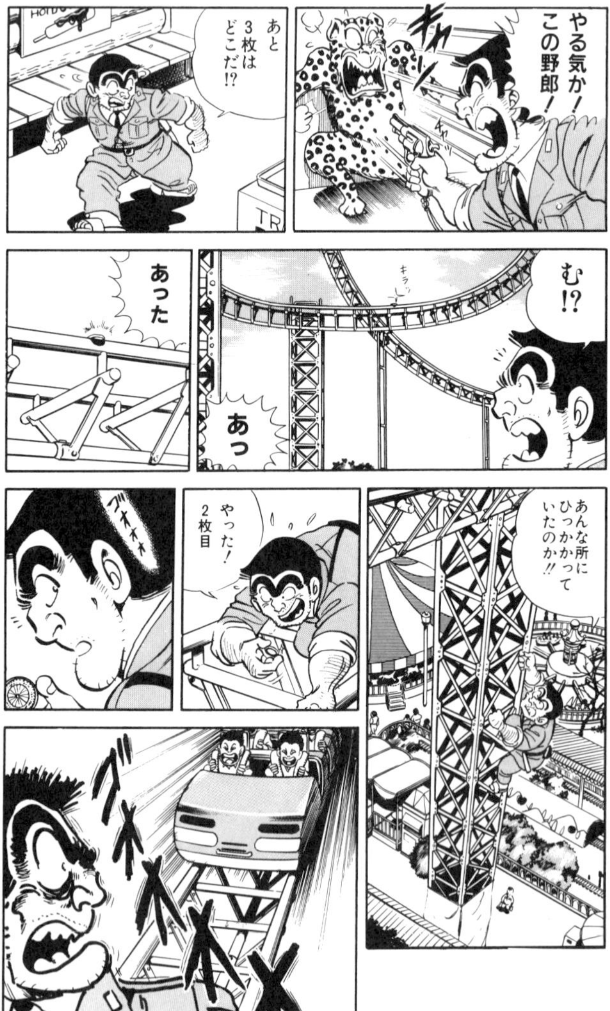
やる気か!この野郎!
あと3枚はどこだ!?
む!?
あっ
あった
あんな所にひっかかっていたのか!!
やった!2枚目

ぴょん
えいや!
オオオオン・・・・
ふう!
間一髪ってところだ!
ん!?
うおっ
もどってきた!
たあ!
あっしまった!
ぴょん
ドカッ
タイミングが!!
いて
うおっ

いて!!
ふう
助かっ…
な…
なんだ
これは!?
ムーン
ロケット
作動
おい
こら!
ちょっと
まて!
うわっ
ギュイイン
ぎゃあ
目が回る
鬼たいじ
1回100円
あ?

何がどうなってるんだちくしょう!
とにかく金貨だけは無事だぞ!
一方 借金とりの方は…
なに2枚目の金貨が見つかった!?
はい池の中にありました
両さんが2枚持ってるのを確認したからこれで4枚全部そろった!
肝心の両さんがどこかに飛んでいってしまったけど…
見つけるのは簡単だよ!
あっ!こんな所に金貨が!!
これでいいあとはワナをしかけるだけだ!
こんな広い遊園地で聞こえますか?今の声で!?
おおっ2枚ともあった!!
今だれか金貨とさけんだな
たしかこっちの方だ!!

これで全部見つかった!!
ババッ
バサッ
うわ!!
こんな単純な手にひっかかるなんて!スズメみたいな人だ!!
金貨しか目にはいらんからな!この男!!
だせ!!ちくしょう!
寄ってたかってきたねえぞこのドロボウめ!!
金かえせ!!人の金をかえさないなんて人間じゃねえぞ!!
どっちがだよ!
あ!?
この1枚は10万円金貨とちがう
なんだって!!
すいませんそれスロットマシーンのでした!本物はこっちです!
気をつけろ!だから遊ぶなと言ったろ!
ゲームコーナー
ピエロ
10万円玉がマシンの中にはいらないでよかった!

集英組
こんな工事現場に連れてきやがってちくしょう!!
さて10万円金貨をどのように分けるかが問題だ
やはり銀行に持っていって1万円にくずしてもらった方が…
バカ！もったいない事するな！コイン屋で高く売れる品だぞ!!
金貨はダブつき気味で価値はほとんどないと言ってるぞ
それはカムフラージュ！絶対に値はあがる！
あれは政府の作戦なんだってば！さんざんケチをつけといてしっかり値があがるんだよ
だから今売っちゃいかん！すてるようなもんだぞ！
しかし分け方が…

ピクッ
ウイイン
ようし打ちつけ開始!
ゴオオオオ
あっあそこだ!!
なに!?
おい! ここにおいといた金貨は!?
あっあれ!?
ズゴ
ズゴーン
ズゴーン
やめろお! 工事やめろおおお!!
うおおお
わしの金貨があぁ!!
とても気の毒でとる気にならん…
私借金とるのをやめますよ
ゾロゾロ
ぎゃあああ
やめてくれ!!

これが10万円金貨!?
絵や文字もまったく消えてしまってもう10万円としてつかえないんですって…
そうだろうなあただの円盤だからな
金を買いとる店へ 持っていっても足元見られてせいぜい1枚3,000円ですって!!
気の毒というより悲惨だよボーナスが こんな形になっちゃったんだから…

★週刊少年ジャンプ1987年３・４合併号

撃滅《げきめつ》!!現代《げんだい》の化石の巻《まき》

違法改造はやめましょう
これが先月大あばれした暴走族《ボーソーゾク》のリーダーの車だ
県警ではおさえきれんらしく本庁に応援をたのんできた
いなかの味 やきだんご
みやげ物
とらえた者はボーナスに大きく影響すると署長も いってたぞ
えっ!? 本当ですか?
スペースシャトルが飛ぶ時代にまだ そんな車にのってる連中がいるんスか?
彼らは感性がまったくふつうの人とちがうんだ

撃滅《げきめつ》!!現代《げんだい》の化石の巻《まき》

Mate

ちなみにリーダーのデーモン山田《やまだ》の愛用のバイクは…
このような外形をしておる
まだこんなことやってるヤツがいるとは…現代のパフォーマンスですな!

Yank
警視庁
こんなに目だってはしってりゃすぐ とらえられるよ
それがそうでもないんですよ先輩!
リーダーはかなり車の腕がいいらしいですよ
本当かよ!?

手づくりのエアロパーツもどきをゴテゴテつけてる連中だろ? 80キロもだそうものならバラバラだよ!
リーダーの車はとにかくはやいといってました!
日光街道《にっこうかいどう》でポルシェ3台をごぼうぬきにしてはしりさったという伝説があります
ぬいたのは30年まえの古いポルシェじゃないのか?
だいたいだなこのリアウイングのつけ方みてもはやくないのがわかるだろ?
えっ!?
本来後輪のグリップをよくするためこのウイングで空気抵抗を利用してグリップするわけだ
それをクーペタイプの車でおまけにウイングを逆にとりつけたんじゃ後輪がもちあがっちゃうじゃないか!
押しつける
はやい
もち上がる
おそい
その上このわけのわからん・・・チリ取りみたいなフロントスポイラーだ!
はじめはゴミでもかきあつめるのかと思ったよ
ふたつのゲテ物コンビネーションでスピードだせばだすほどうしろは上がり前は下がりいなか道のギャップにみごとひっかかり
車は前転で三面記事のトップをかざるわけだ!
欽《きん》ちゃんの仮装大賞に出場しそうな車ばかりだぞ! そんな車にポルシェがぬかれると思うか!?
そういわれればそうですね!

じゃあ さっそく 暴走族撃滅 作戦をたてに いってくる！
本田さんの ところへ ですか？
相手が車なら こっちも車で 対抗しなきゃ！
ホットロッドの 前田《まえだ》しか いないよ！
あいつ 署に いれば いいがな…
おっ
いた いた
ハデな パトカー だから すぐ わかる！

しかし この車 どっちが 暴走族だか わからんな
よう 両さん!
おう! 前田か!
また さぼって いるのか!? 仕事
おまえに 金もうけの 話を もって きたんだよ
えっ!?
あれ!? なんで しってるん だよ?
おれは パトカー勤務 だぜ! そのくらい しらないで どうする
暴走族 「御祖魔《おそまつ》II」 退治のことか?
ギイ!
ってことは 当然…
そう! これから とっつかまえに いくところだ!
わしも いく! 手がら たてて ぜひボーナスを 倍にしたい!
OK! じゃあ ナビゲーターに なって もらおうか!

なに!? かなりの人数が今回の暴走族狩りに出動しているだと!?
今どき族《ゾク》なんかやってる若者がいるんだなほとんど絶滅したと思ってたよ
生命力がちがうよ 一台暴走車をみつけたらその30倍はいると思わないと!
ゴキブリ以上の繁殖力だ!
この世に車やバイクがあるかぎり絶滅はムリだな
しかしとりしまらなければふえる一方だからな!
ん!? おまえ本来は署のパトロールカーの警官だろ?
そうだよ
外勤のわしらの送りむかえや市街地パトロールが 仕事じゃないか!
ブオオオム
今回の場合本庁の警ら隊や交機の仕事じゃないのかいいのかな?

おなじ パトカーだ ヤツらさえ つかまれば いいんだよ
そうだな ふかく 考えるのは よそう!
ヒューン
おっ
ヒューン
ヒューン
ヒューン
高速隊の Z《ゼット》だ!!
ヤツらも 出動して きたか!
おい いそげ! ヘタすると 手がらを とられて しまうぞ!!
そんなマネ させて たまるかよ!
ぐわっ
すごいG《重圧》!

うしろから
おいあげて
くる車が
います！
なにっ!?
緊急走行中の
パトカーに
近づいて
くるとは
なんて…
あっ!?
交 林 33

やったあ 高速隊も びっくり してら！
警らの パトカーを なめんじゃ ないぜ！
警らの パトカー ですよ！ あれは！
高速隊の パトカーを 抜きかえす とは どこの 署だ!?
千原木県《ちばらぎけん》 神奈玉市《かなたまし》 暴走族 「御祖魔II」のいるところ
ピーヒョロロ
ボボボ…
ボボボッ
ガタガタガタ
あっ！ ちょっと とまれ！
え？
マフラーを 2本 おとした
はやく しろ

もっと しずかに はしれないの かよ？
デコボコ道の うえに車高を おとして サスをかたく してあるから これ以上ムリだ
ガボボ
ガボ
なに 警察が オレ達を つぶしに きただと!?
先月の抗争で パトカー20台 丸焼きにしたのが 効いたらしいな！
かなりの 数ですぜ！ 交機のパトカーも たくさんきます！
どうします 頭《かしら》!?
バカ 野郎！
頭《かしら》はやめろと いったろ 山賊じゃ ねえんだぞ！ キャプテンと よべ！
は はい どうしま しょう キャプテン!?

くるならこい！また おなじ目にあわせてやる!!
やるんですか？キャプテン
キャプテン
好きよキャプテン
すきよ！すきよ！キャプテン
すきよ！すきよ！キャプテン
古いギャグやるな!!てめえら!!
小学4年生以下の読者には何が おこったのかさっぱりわからんだろうが！
すいませんキャプテン
キャプテンパトカーがきました！
全員車にのれ！パトカーをぶっつぶす!!
バカ者！
オレの車は土足厳禁だ！ちゃんと上ばきにはきかえろ!!紫のじゅうたんがよごれるだろ！
すみませんキャプテン
土足厳禁

あれだ!あのピンクの車がボスのだ!
よしわかった!
バカヤロウつかまってたまるか
ビュエッ
それ!!
うわっ火炎ビンだ!!
ガチャッ
うわ!!
警視庁
うわっにげろ!
ゴオオ
警視庁
あの車も燃やせ!いくぞ
ゴオオオ
TRUST
なんてひでえヤツラだ!
前回もこの手だ計算ずみだよ!両さんそこのスイッチを!

うわあ
水だ!!
今回のために
放水装置を
つけてきた
効果的だろ
さすが!
やったな!
ところで
肝心の
ボスの車は
どこだ!?
あれ?
おかしいな
どこか
いっちゃった
?
あんな
ピンクの車
目だつはず
なんだが…
ん!
いた!!
あれだ!!
パトカーに
化けて
にげる気だ!
ちくしょう
完璧に
偽装したのに!!
竹ヤリ
出っ歯の
パトカーなど
いるか!!

どうした前田!? 全然おいつかないじゃないか!
ヤツらは悪い道をはしりなれていやがる! 4駆じゃないとだめだ!
あいた 舌をかんだ!
ざまあみやがれ! 悪路 あぜ道 畑の中! いなか道ならおれにかなうヤツはいない!!
みごとにげきったぜ!
キャプテンまえ! まえ!!
どうしたんだ!?
ゲッ 東京《とうきょう》へきてしまった!
この先
東京
どの道にいけばどこへでるかわかるか?
いえ! 全然!
標識だらけだ…あれなんだかわかるか?
わかりません!
あの車と車の間すり抜けられるかな?
さあ!?

おい! 道の真ん中で なにとまってるんだ!
ひい! はい!
この道一方通行で もどれないみたいですよ キャプテン
うーむ 強制的に都会にいれられてしまった!
まえにとまっている車 ベンツですよ! 気をつけて!
おっと! 左へ!
あまり左にこないで! ソアラにあと10センチであたる! そのまままっすぐ!
おそろしい…… 心臓に悪いな…
ブロロ…
うおっ!!
ギッ
パパパ
びっくりした! 急にバイクが飛びだしてきた!
だめだ! こんなところとても車ではしれる状況じゃない!!
ドキドキ
とまるな はやくいけ!
ひい! は はい!

いたぞ あいつらの 車だ！
都心は 信号まちゃ 渋滞で にげにくい からな
先回り して とらえて やる！
やっと駐車 できる スペースが あった！ ふーっ
しかし どうやって かえれば いいんだ
いた！ あんな所に とまって いるぞ！
あっ
キャプテン どうしま しょう？
う～む こうなれば 最後の手段…
悪魔の おそろしさを みせてやる
カメの のろい～～～っ!!
おっと

CÉLIME PARIS
ハデにやりやがって!!
あれ?
店の中からにげる気だぜ!
さすがゴキブリ!生命力が強い!!
にがすわけにはいかないぜ!

待て!! こら〜〜〜! もう にげられんぞ!!
ベキ
ヴオオム
バキ
ガロロロ
おうな!! 私をおうと悪魔に呪われるぞ! おうんじゃない!!
ボーナスカットなんて あんまりですよ! 暴走族をつかまえ解散させたのに〜〜〜 それは あんまりだ〜!
三面記事をにぎわすようにとらえろと だれがいった!? それに わしはアップするといっとらんぞ!! ボーナスに影響するといったんだ! あたったろうが!!
白昼パトカー大暴れ
改造パトカーを使う! 見よ!このチューニング!!
ベースはスタリオンターボ 300馬力のバケモノ!!

★週刊少年ジャンプ1986年33号

なに!!
滑走路が使えないだと!?
そんなバカな話があるか!
中川《なかがわ》サミットIN《イン》東京《とうきょう》の巻《まき》
代議士の先生方が今日 特別機でヨーロッパを訪問されるのをしってるだろ!!
申しわけありません! 一週間貸し切りとなっておりまして…
バカ言っちゃいかんよ きみ! 空港を貸し切るなんて不可能だ はやく機を用意したまえ!
ビイイ…
私も事情はわかりませんが… とにかく貸し切られまして…
かわった型だ ダグラス DC《ディーシー》-7《セブン》か!
あのように一日一便各国から日本にやってくるのです
どこの機だ! いったい!?
グオオオン
それにしてはスマートですよ
…え!?
ま まさか あの機は!?

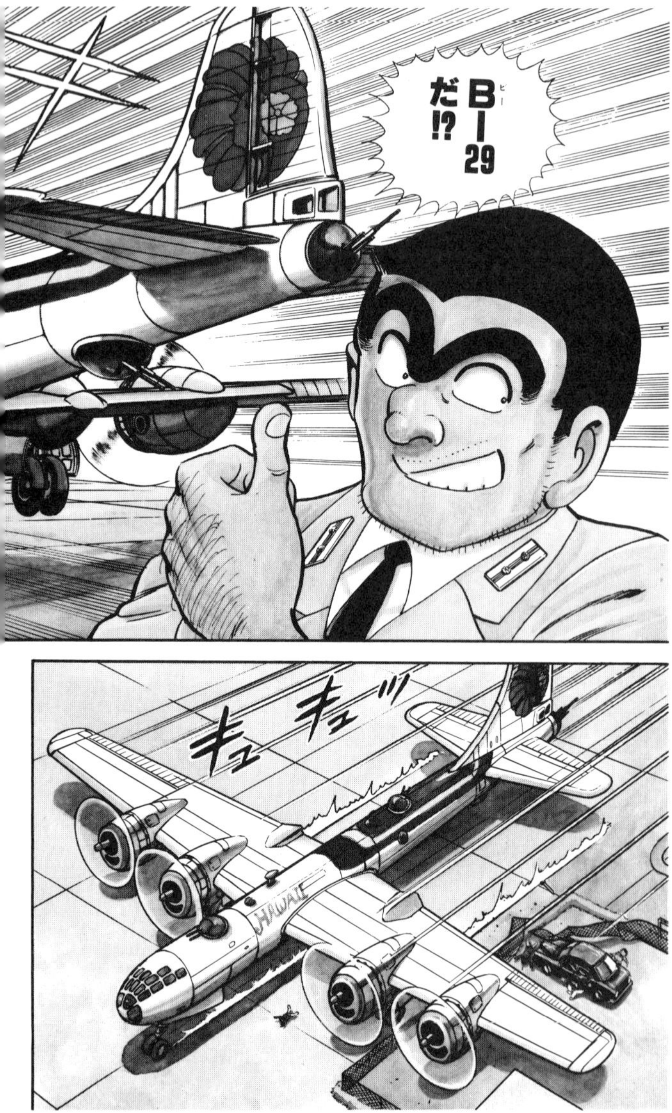
B《ビー》-29だ!?
キュ キュッ

中《なか》川《がわ》サミット
IN《イン》東京《とうきょう》の巻《まき》
こっちへ向かってくるぞ!!
いえーい!!
ハワイより愛を こめてハッピイ!!
中川一族長兄
中川三亀松《みきまつ》
いやあ50年ぶりの日本か!
昭和《しょうわ》11年以来だな
な 何者だあの男は!!
さ さぁ!?

横《よこ》浜《はま》港《こう》
これが世界一の豪華客船クインエリザベスII世号か
さすがに大きいな!
ガヤ
ガヤ
ガヤ
Queen Elizabeth
あ　あれ!?
うわあ!!　となりにもっと大きい豪華客船が入港してきた
なんだあれは!?
ガヤ
ガヤ

7年ぶりの日本だ! なつかしい!
中川財閥総裁 ポール中川
なに! 中川家の家族会議だと!!
どうも このボクを社長にするための会議らしいんですよ
世界中にいる親せき連中がこの東京に集まってきちゃって!
このさわぎの原因は おまえだったのか!
そうらしいですね!
世界の大富豪が続ぞくと この東京に集まっています
理由は極秘のもようです
全員空港よりガードマンの特別車に囲まれまるで東京サミットさながらの警戒ぶりです

きのう きた アラブの石油王 というのも おまえの親せき なのか？
ええ！アラブには親せきが多いんですよ
純金のロールスロイスを空輸させてくるんですからね ガード用の装甲車もいっしょに！
金持ちはやることがハデだからな
ハワイのおじさんなんてB－29で東京へおりてきたんですよ！
マッカーサーじゃあるまいし！相かわらず過激な親父《おやじ》だな！あいつは！
今に撃ち落とされますよ！きっと！
ボクは出席したくないんです！警察官を辞める意志も ないし！
よし わかった！上司としてわしが出席しあのバカどもを説得してやる！
会議の会場はどこだ!? 迎賓館でやるのか？
いえ 柴又《しばまた》の川千家《かわちや》でやるそうです
ガーン

法事じゃあるまいし！下町で会議をやりやがってまったく！
関係者以外立ちいることはできんぞ
関係は大ありだよ！どいたどいた！
ガラ
うおっす！
あっ!!

両さんじゃないか久しぶりだな
おまえあまりこわい機でくるなよな！
おお！両さんか7年ぶりだな
あっ 中川のおじいさんもきてたのか!?
どちらさんかねこの人は？
銀行頭取
中川重吉《じゅうきち》
圭一《けいいち》の上司だよ巡査長の両津さんだ！
そうですか私はスイスで銀行をやってる中川重吉です
10億円くらいなら無担保で貸しますから声をかけてください
そりゃどうも
海外旅行ならこの私に！9割引きで世界のどこへでもいけますよ
ニューヨークで航空会社経営
デューク中川
いやあすごい連中ばかり集まっているな！
となりにきなさいいっしょに飲もう！

今日 こうして親族に集まってもらったのは圭一のことだ！
中川物産会長
中川英世《ひでよ》
あいつの才能を中川財閥で ぜひ生かさねばいかん！
そこで 我が中川一族の直系尊属である三亀松兄さんに圭一を説得してもらえませんか？
え!? わしが!?
いやあ わしが思うに圭一は…
いけね わすれてた！
みなさん!! 私は ここへ食べにきたわけじゃないんです
実は 中川について ひと言 言いたくてきたんです
そうか！上司に説得してもらえばいい！
なるほど！
ちょっと失礼
うちの会社をぜひ すすめてください！これは ほんのごあいさつがわりに！
あっ きたない！
両津さん 我が社の宝石店の純金時計です なにとぞよろしく!!
いやあ いいの!? 悪いね！
ガヤ
ガヤ
我が社の株券を2万株ほど！
あとで外車を送らせてもらいますから我が社をよろしく!!
まいったね ははは

みなさん！私に おまかせください！
今 中川君には多少の迷いがあるようですが必ず 説得してみせます
圭一は あれでガンコなところがあるんです
私は上司ですよ
私が「カラスは白い」と言えば 部下も絶対服従!! それが上司・部下の世界です！
逆らおうものなら鉄拳パンチの5 6発でおだやかに説得させます！
両津さんどんどん飲んでください
ははは！すべて私におまかせください
これで安心しましたよ
わはは
まったく相変わらず調子のいい人だよ
つぎの日―
なに!? 会社にはいる気はないだと！
秋の交通安全週間

はい！いくら親族が集まってもボクの意志は変わりません
先輩のたのみであっても同様です
むむ…このガンコ者め…
その目は100発なぐっても変わらん目だ！
きしょーめ！あきらめたよ!! せっかく親族からお礼をもらえるハズだったのに！くそ！
すみません 今度 ボクが夕食をおごりますから
それでいいんだよ圭一！
あっハワイのおじさん!?
自分の人生生きたいように生きるのが一番！
中川家の長兄が この道楽親父じゃ説得するほうがムリだよ！
ところで圭一もいっしょにいくか!?
え!?
おっそれは いい
わしが親族会議だけでこの日本にきたと思うか！
そう！今日一日遊びにいく約束をしてたんだよ！
なんか不吉な予感が…

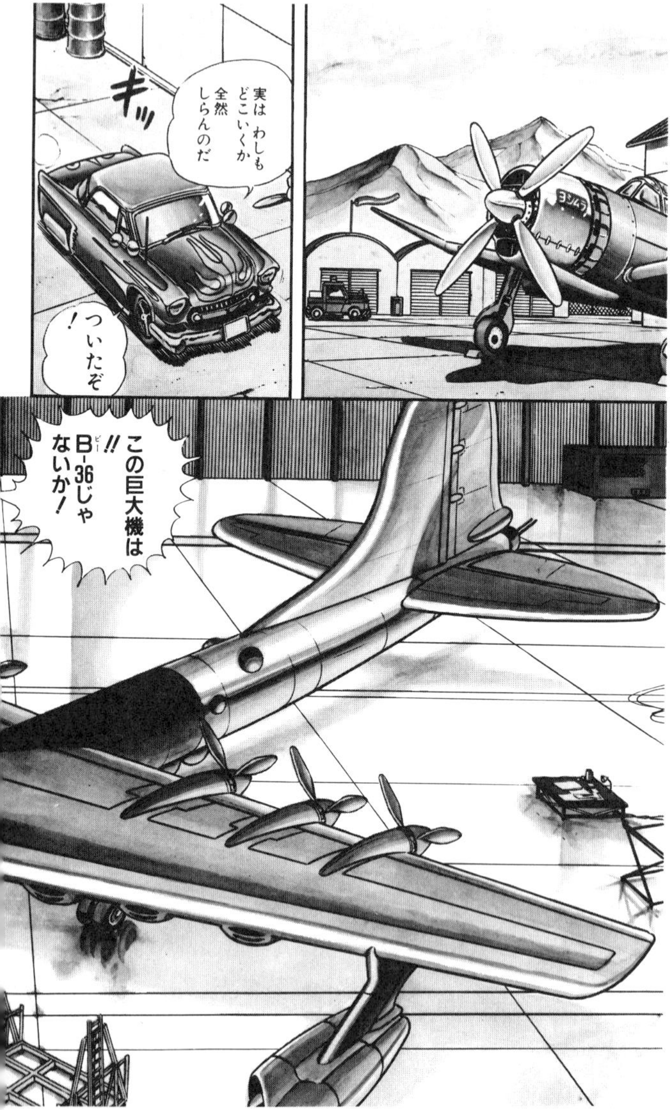
ヨシムラ
ギッ
実は わしも どこいくか 全然 しらんのだ
ついたぞ！
この巨大機は‼ B《ビー》-36じゃないか！

民間飛行場か…やはり目的は飛行機？
ピンポーン大当たり！おなじ航空マニアの間浪荷《まろーに》さんのコレクションがあるんだ
これ・・に会うためにハワイからきたんだからな！
EXIT
そうじゃよ！
いやあ中川さんおまちしてましたよ

本物を見たのは初めてだがジャンボよりでかそうだな!?
おそらく世界一だろうな
翼だけでも70メートル以上あるからな
わしが乗ってきた大型機B《ビー》-29が小さく見えるくらいだよ
化け物みたいなやつだな
おい! ひょっとしてこれを飛ばす気か?
もちろん飛ぶからこそ飛行機と呼べるわけだからな!
中川君ちょっぴり不安な気もするね!
思いきり不安ですよボクは…
ゴオオオオン

(※)爆撃機のため胴体のほとんどは爆弾倉になっている。前後の連絡は、このトンネルと電話でおこなう。

いてえ! 何があったんだ 急に速くなったぞ!
このまま 東京見物に いくそうです
ゴゴゴゴ
おい! ちょっと またんか!!
こんな 巨大なもんで いくんじゃない! やめろ!!
ハワイの 二の舞に なるぞ!
ゴオオオオオ
電話で 何か言って ますが…
やめて くれ!
あいつは 心配性 すぎる
新《しん》宿《じゅく》
あれ?
急に 暗く なった!
あっ!?

なんだ
あの
飛行機は!?
ガヤ
ガヤ
すごい
大きさ
だぞ!!
えーっ!?
新宿に
巨大機が
出現!?
きっと
両ちゃんたちよ
ハワイから
航空機マニアの
おじ様が
日本に
きてるの!
まったく!
今回は
中川まで
いっしょに!
大さわぎに
なる前に
中川財閥に
力を借りて
つかまえて
もらおう
もう
大さわぎに
なってるんじゃ
ない!?
低すぎる
機首を
上げろ!
こどもの本の
集英社
うおっ
ぶつかる!

ゴオオオオン…
この機にパラシュートはつんでないのか!?
ダダッ
ありませんよそんな物
キィイイン
な…何する気です!?
ガッ
ガン
あっ後方から飛行機が!
えっ!?
ここから脱出する!とめないでくれ～!
いくら低空で飛んでるからってムリですよ

三亀松兄さん! そんな物で 東京見物 するなよ!!
あっ 中川家の プライベート 機だ!!
キイイイン
NAKAGAWA
下は 大さわぎに なってる! そのまま 海上へ でてくれ!
うるさい連中が きた! いつもジャマ ばかり しおって!
やっと たどり ついたぞ! こら!
あっ! きたのか!
東京を破壊 しやがって! ゴジラか おまえは!
ちょっと 無線を 借りるよ

なん度も言いますがボクは警察官を辞める気はありません
わ…わかった! あきらめる! 圭一の自由にしていい!
だが中川家の恥になる行動はするな!
うるさい大きなお世話だ!!
うわっ
異端児の三亀松兄さんの声だ!
もう頭にきた!
グイ
巨大翼のウエスタンラリアートをくらえ!!
ぐわっ
海へ落ちたぞ うーむするどい一撃!
長男を大切にせんといかんよ!!
本当に過激なおっさんだ
兄弟で一番ですよ

ええ!! みなさん 大ケガじゃ なくて本当に よかった!!
飛行機ごと 海に落とされ たんですって! ひどいこと するわね
両津たちの機は そのまま 太平洋《たいへいよう》の かなたか!
はい 気をつけて かえってください おだいじに!
ハワイまで にげたかも しれんな あの連中!
本当に おまえら パイロットか!? かえりの燃料も 計算しろ! 突然 なくなるなんて まったく!
ここなら サイパン島《とう》が 近い たしか あそこに うごくB－29が あったはずだ…
もういい 飛行機は たくさんだ!!

★週刊少年ジャンプ1986年46号

黄金の鯱《シャチホコ》伝説《でんせつ》!!の巻《まき》(前編《ぜんぺん》)

両さんはおられますかな!?
よう 悪い! 今 行こうと思ってたところだ!
すごい発見があったんじゃよ
ここじゃ人目がある! 家に いって話そう!
もしかして今の人は…?
考古学博士の姫路《ひめじ》秀三郎《しゅうざぶろう》さん
やっぱり!! どうしてそんな人と両ちゃんがしりあいなの!?
不吉なことがおきなければいいけど…

黄金の鯱《シャチホコ》伝《でん》説《せつ》!!
の巻《まき》(前《ぜん》編《ぺん》)

下町の探険家《たんけんか》
インディー両津《りょうつ》
考古学博士《こうこがくはかせ》
ドクター姫路《ひめじ》

スーパー北部
姫路
千代田丸《ちよだまる》の沈没船はただの空船だったし…
群馬県《ぐんまけん》の埋蔵金だってそうだ!
つぼの中をあけてみたらびた銭ばかり手間代の方が高くついたよ
あれはがっかりした古文書には2万両と記してあったがな

落城した どさくさに 家老たちが かっぱらったんじゃ ねえのか!?
日本中 さがしても 千両箱が 眠ってる場所は もう ないかも しれないなあ…
北九州《きたきゅうしゅう》に しずんだ 金塊船 慶長丸《けいちょうまる》
これを もう一度 さがして みよう
九州まで いかなくても あるんだよ 近くに!
えっ!? 本当か?
東京には 江戸城《えどじょう》と 八王子城《はちおうじじょう》の ふたつが あった しっとるか!?
へえ 八王子にも 城があったのか
文献を読むと 幻城《まぼろしじょう》とよばれる 3つ目の城が東京に あったらしいんじゃ!
ガバッ
すると 城の近くに 千両箱が かくしてある のか!
まったくない! さんざん 調べたが そのような事実は まるでない!
気を もたせ やがって およびじゃ ないよ そんな城!

※鯱＝城の天守閣の上に左右２匹ついている、曼陀羅《マンダラ》の中にある摩偈羅《マカラ》という魚をヒントに得た想像上の動物。海に住むので防火の効があるという。

城の鯱をだまってとってきては心苦しいものだ
わしが複製を作ってやるすり変えよう！あとで鯱の形を教えてくれ！
しかし 高尾の山奥にこんな城があるとはな
この城に関する文献をさがすのに苦労した
下町の古本屋をさがしまわったら「冒険《ぼうけん》ダン吉《きち》」の漫画の間にはさまってたのじゃ
おまえさんの話 どこまで本当かわからん…

ちょっとつかれた水をくれ！
またかよ！今日は食糧あまりもってきてないんだぞ
組みたての鯱が荷物の大部分をしめてしまったんだ
はやいとこさがして下山しないとなん日間ともたないぞ
道はこっちでいいんだろうな!?
地図にまちがいなければそろそろ見えるはずじゃ
あっ!!
あれが幻城だ!!

あのてっぺんについているのが金の鯱か!?
どうやってあそこまでいくつもりだ?
天守閣まであがってとるしかないな!
私もそう思うのじゃが…
内堀に橋がまったくない!
まさか!?
ぐるりとまわりをまわったが本当にないな
どうやって城にはいるんだ!?
大手門《おおてもん》よりハシ2本使用し入城すると書いてある
肝心の橋がないぞ
ひょっとしてあれか!?
橋

一気に敵が攻めてこれないようにこんな小さな橋にしたのかな!?
ただおもしろがってだ! ここの城主はかわり者らしい!
なっ! なんだ!?
向こう側までとどかん!! 短い!!
もう一本使ったらどうだ?
長さはかわらん!! おなじことだ
ヒモでつなぎあわせれば?
いや! 何か方法があるはずだ
ハシ2本使用し入城か…ハシ…に2本…
入り方 大手門よりハシ二本使用し入城すべし
わかった!!
こうすりゃ通れるわけだ
堀の端を利用するわけかなるほど!!

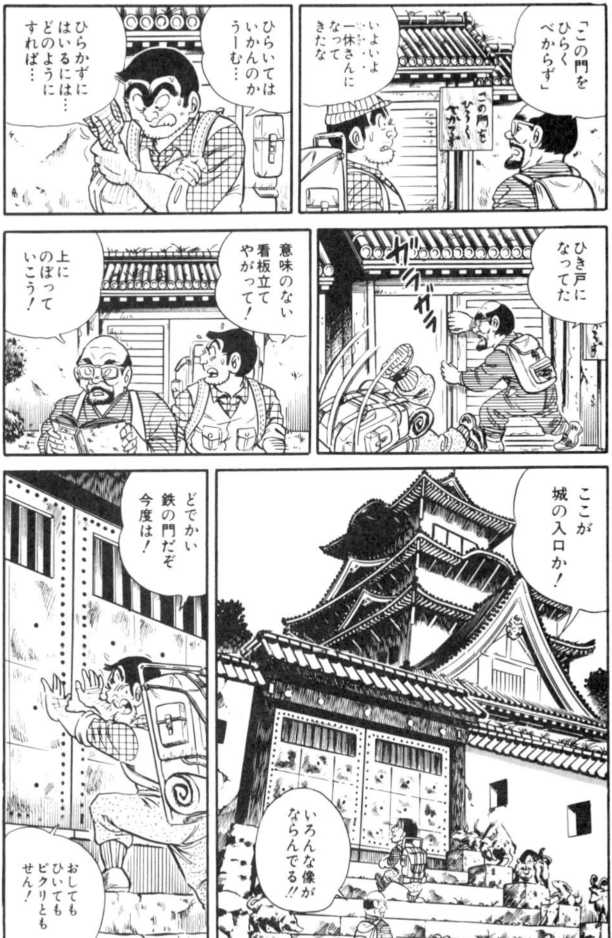

「この門をひらくべからず」
この門をひらくべからず
いよいよ・・・一休《いっきゅう》さんになってきたな
ひらいてはいかんのかうーむ…
ひらかずにはいるにはどのようにすれば…
ひき戸になってた
ガラ
ガラ
意味のない看板立てやがって!
上にのぼっていこう!
ここが城の入口か!
いろんな像がならんでる!!
どでかい鉄の門だぞ今度は!
おしてもひいてもピクリともせん!

「巽《たつみ》が午《うま》とあう時開閉となる」
暗号か! たぶんここの像がヒントになってるんだ
おかしいな馬なんてないぞ
これは方向ではないのか?
江戸時代では午《うま》とは南の方角を指す!!
それだ!「巽《たつみ》」の像を南に向けるんだ
藤波《ふじなみ》タツミ・・・の像はないか!? おまえもさがせ!
江戸時代にあるはずない!
巽とは干支《えと》の〝たつ〟と〝へび〟のことじゃよ
やった! 〝たつ〟と〝へび〟を南に向かせれば…
南ってどっちだっけ?
わからん
腕時計をかせ! 太陽と時計で方向がわかる!

くそ〜〜〜っ くもりで 全然ダメだ
最後の 手段!
木を切って どうするんだ!?
切り口を 見るん だよ
年輪で 大きく そだっている 方が南だ!
さあ 「たつ」と「へび」を 南に向けたぞ! これで ひらくはずだ
しーーん
あかん なあ
両さん それは へびじゃなくて ドジョウだ
ズルッ
へびは こっちだ これが 本物!
まぎらわ しい像を 作り やがって!!

よし！
これで
南だ
あいた!!
ダイナミックな
仕掛けだな！
ダイナミック
すぎる！
一回ごとに
破壊してたら
たいへんだ
うわっ
自動ドア
!?
ここの城主は
カラクリが
好きなのだ
発明好きの
殿様って
わけか！
ちょっとまて
そちらの
方へいくと
え!?

ガタッ
ズズ～～ン
つり天井があるから気をつけた方がいい
おそい!! あと一歩で串刺しになるところだ!
どんな仕掛けがあるかわからんな
ギイ
2階へついたぞ
うわあ!!
あいた!!
ガタッガタ
わっ!!

ドリフターズのコントみたいな階段だなちくしょう！
これじゃすすめんなあ
上等だよ!!
中からいくからいけないんだ！外からのぼりゃ一発だ！
バッチリ！はなからこうすりゃよかったんだ！
ぎゃん!!
屋根に刃《やいば》が埋めこまれているあぶなくてのぼれんぞ！
ちくしょう考えやがったな！

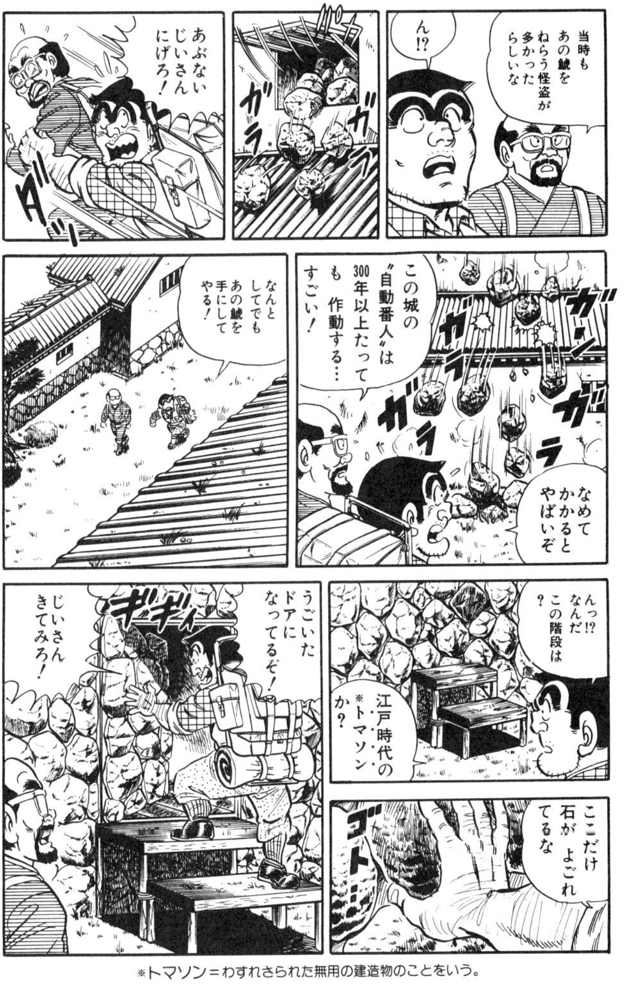

※トマソン＝わすれさられた無用の建造物のことをいう。

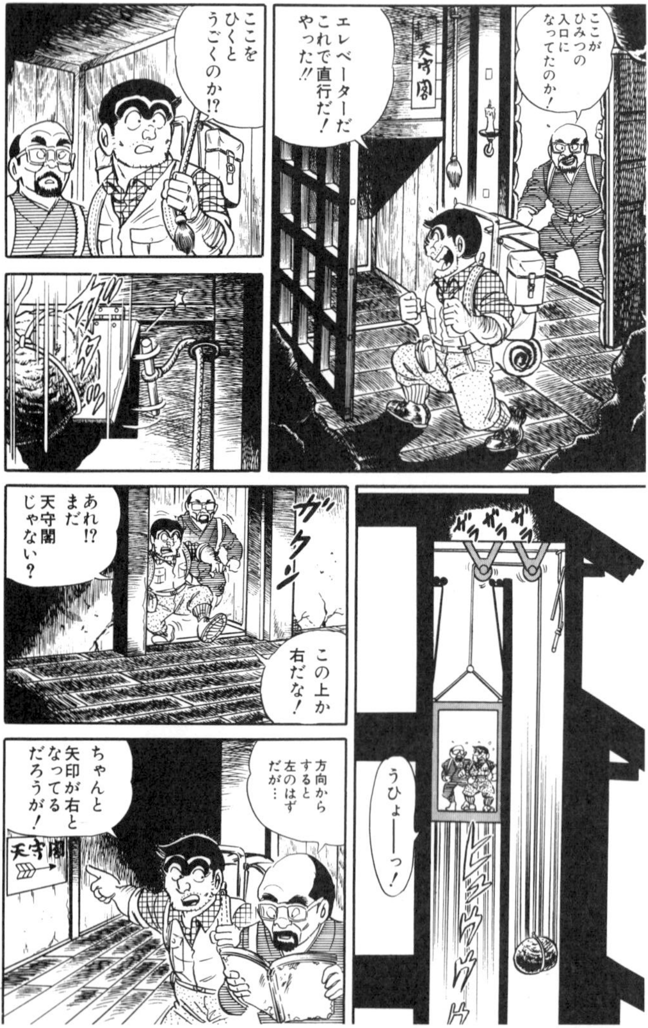
ここがひみつの入口になってたのか!
天守閣
エレベーターだ これで直行だ! やった!!
ここをひくとうごくのか!?
うひょーーっ!
ガクーン
あれ!? まだ天守閣じゃない?
この上か右だな!
方向からすると左のはずだが…
ちゃんと矢印が右となってるだろうが!
天守閣

★週刊少年ジャンプ1986年42号

黄金の鯱《シャチホコ》伝《でん》説《せつ》!!
の巻《まき》(後《こう》編《へん》)

★前話のあらすじ
黄金の鯱を
求めて両さんと
考古学博士の
姫路 秀三郎は
幻城へ向かった
ところが 城へ
たどりついたものの
その城の
厳戒体制ぶりに
ふたりは全然 手が
だせない！
だが そこは
お金に対する
執着が 人の1,000倍
ある両さん
あの手この手の妨害を
TVゲームの要領で
ひとつひとつクリアし
ついに天守閣まで
たどりついたので
あつた
やった！
ついに
天守閣《てんしゅかく》に
きたぞ!!
殿様が
下界を
見おろす
優雅な
場所とは
思えんな
ふだんは
武器を貯蔵
してる所だ
城は要塞
だからな

一匹できあがり! はやく上へもってけ!
ゴトッ
もう組みたてたのかはやいな!
ガレージキットの天才だぜ! 得意技だよ!
1/1の鯱の型取りは大変だったがな
2匹できた! さあとり替えにいこうぜ!
どっちが雄かね?
えっ鯱に雄雌あるのかよ!?
当然じゃよ! デザインがちがう! 図面に書いておいたろ!!
下からみりゃわからんよ! どっちでもいい!
ゴリゴリ
よくない! 雌のほうが二尺短い!
それに雄はたくましい顔をしてる
魚の顔なんてどれもおなじだ
鯱は魚ではない似てるがちがう!

つべこべ いってないで ちゃんと もってろよ
くそっ かたいな
怪力 両さんを なめんなよ うぬぬっ!
よし! とれた
おい 一匹かせ!
それは 雌だな! じゃあ 雌に 近いほうを!
どっちでも いいから はやくしろ!
これで 2匹 おわった 堀の外に いってろ ロープ投げる から
わかった

ぶじ 2匹とも はこびだしたぞ!
悪く思うなよ! 今度 金 ためたら ダイヤモンドの 鯱作ってやる からな
パカッ
うわっ にげろ
ロケット弾だ!
宇宙基地 みたいな城だな 本当に江戸時代の 物かよ!?
ゴホ
ゴホ
城主は天才の レオナルド ダ・ビンチかも しれんな
やっと 町へ でたぞ!
レンタカー 借りて こいよ
そうしよう 重くて 手が つかれた!

まさか 後ろに 10億円の鯱が 乗ってるとは だれも 思うまい
仲よく 一匹ずつ 山分け しようぜ
ブオオオオ
わしが雄を もらう! あんた雌!
!? なんだって
ずるいぞ 雄の方が 大きい!
バカ 前をみろ!!
うわっ 道が ない!
ギギギギィ
注意
ハンドル 切れ!!
ズルッ
うわっ 鯱が!!
落ちた!!

ゴォォォ
下だ! いそいで下へ!!
わかった!
ザザザザァァー!
すいぞく館
幼稚園のみなさん これがウーパールーパーくんです
わあ かわいい!!
ドパァァン
うおっ!?
わあ きれいなお魚!
な…何ごとだ!?
わあ
きゃっ きゃっ
わあ
金ピカだあ!!

これ金魚?
金魚ではありません! これは…えーと…
こりゃどうも!
うちの魚がこんな所におジャマしちゃって!
ウーパールーパ
なんなんですか? その魚!?
いやあ ちょっと!! トラックから脱走してしまいましてね!
ウーパールー
何かありましたか?
何もない何もない
なんですかそれは?
ごく平凡なタイヤキの看板ですよ!
鯱に似てますね
今度シャチホコヤキというのを売るんです! うちのオリジナルで!!
警察がからんでくると面倒だからな!
珍魚大集合
めずらしい魚
うわっ!

なに！車がうごかんだと!?
ぶつけた時から調子悪くなって…
タクシーなんかにはいらないしどうやってはこぶかな!?
どうしよう…
おとな一枚にペット一匹《ぴき》
ペット？
イルカのシャチくんです
地下鉄ではこぶのはよけい目だつんじゃないか？
一番はやくて安いんだ！ペットをはこんでいいことになっているしな！
重い！すこし休ませてくれ
軽い雌の方にしてやったのにまったく!!

ヒモが ゆるいから つかれんだよ もっと つよく しばれよ
そうか むずかしいんだな
あ!?
スポ
ああ!!
うわっ!!

きゃあ!
ガタ ガタ ガタン
あっ!! ちょっと まて!!
その地下鉄 とまれえ!!
どうしよう… いっちゃった
いっちゃったじゃ ねえよ!! 雄の方 おまえ もっててくれ!
とりもどしに いくのか!?
あたりまえだ!! 一匹5億円 だぞ!!
出口
地下鉄

きゃあ
どけ どけ
お客さん キップ! キップ!!
あとにしてくれ!!
うおっ
くわっ
一匹 5億!!
後ろから三両目!!

あった!!
間にあった!!
愛しい鯱ちゃん!無事だったか!
よかったねェ心配していたんだよキミを!
ひしっ
あっやばい!
鉄道公安官がきた!!
タダ乗りの上ガラスをぶちこわしたからな!
その上職業を聞かれるとまずい!
しまったいきどまり!!
ここでつかまったらまた三面記事だ!くそ!!

おいこら！
窓からにげるとは！
さすがにここまでおってこないな！
やった!!外へでた!!
これでやっともどれる!!
ガタンガタンガタンガタン
地下鉄あばよ
うおっ!?

くそ！
タイミングが
悪かった！
あっ
鯱は!?
どこだ!?
あっ!!
あんな所に!!
とりに
いくのは
目だつなあ…
ファミリー
レストラン
大辛
食べ放題
1000円
バイキング
P
あぶない！
落ちる!!
人にでも
当たったら
大変だ！
きゃあ
病院
ぐへっ
ナイス
キャッチ
スポッ

ぎゃあ
下水の中に!
あんちゃん
そりゃ
下水の穴
だべ!!
わかってるよ!!
うおお
流れがはやい!
ちくしょう!
死んでも
はなす
ものか!!
両さん
どこまで
おっていった
のかな?
SUBWAY
地下鉄
あっ!!
うっ
すごい
においだ!
どうした
んだ!?
にがして
しまった…
うう…

下水の中を鯱といっしょに流されまくり力尽きてはなればなれになってしまった…
うっうっ
うんこまみれでがんばったのに…
とにかく体を洗いましょう両さん！
ザザー
WC
もう一匹の鯱はどうした!?
ザザ
駅前でもってると目だつからかくしておいた
大道具製造
ブロロロロ…
全自動洗タク機
東大
よく落ちます
電話で連絡あった粗大ゴミはこれかあ!?
そう！全部だ！
ダッ
清掃会社
この鯱もすてていいのか?
この会社はテレビ局の大道具を作ってるからいつもかわったゴミばかりだいいんじゃないか
まだ一匹残ってるからいいじゃないか
しかし…あきらめきれんよ
お菓子

見つからない所にかくしておいたか?
そりゃあもう!
ブロロロ…
清掃会社
あっない!
なんだと!?
製造協会
鯱? ゴミといっしょにもっていったよ
本当か!?
鯱の粗大ゴミ? さあ!? なにしろ数が多いからね
清掃会社(有)
清掃会社
調べてみますか?
もちろん! そのためにきたんだ
ぜい ぜい
なに!! この中の一台か!?
もう埋め立て地にいってるかもしれませんよ 一日に300往復してますから
ブロロ…
ブロロロ

いたずら書きの無断転載
無断投稿を禁ず
SUZUKI
えっ 先輩が 行方不明 ですって！
もう5日に なる 署では きびしく減俸に する方針だ
わしとしては このまま いなくなって くれた方が ありがたいがね
みんな 心配して いないね
だって 私利私欲で しか うごかない 人だもの
両さん… もう あきらめよう… わしは もう つかれた…
この中に 5億円の鯱が 眠ってるんだ！ わしは ひとりでも さがすぞ

★週刊少年ジャンプ1986年43号

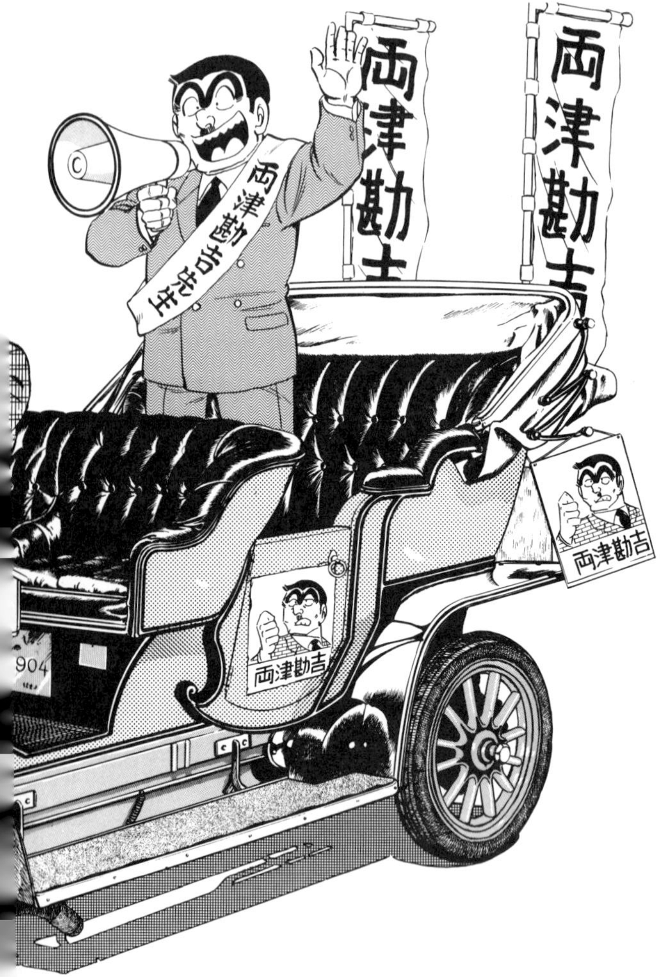

両津勘吉
両津勘吉
両津勘吉先生
両津勘吉
両津勘吉
904

道楽党起つ!!の巻《まき》

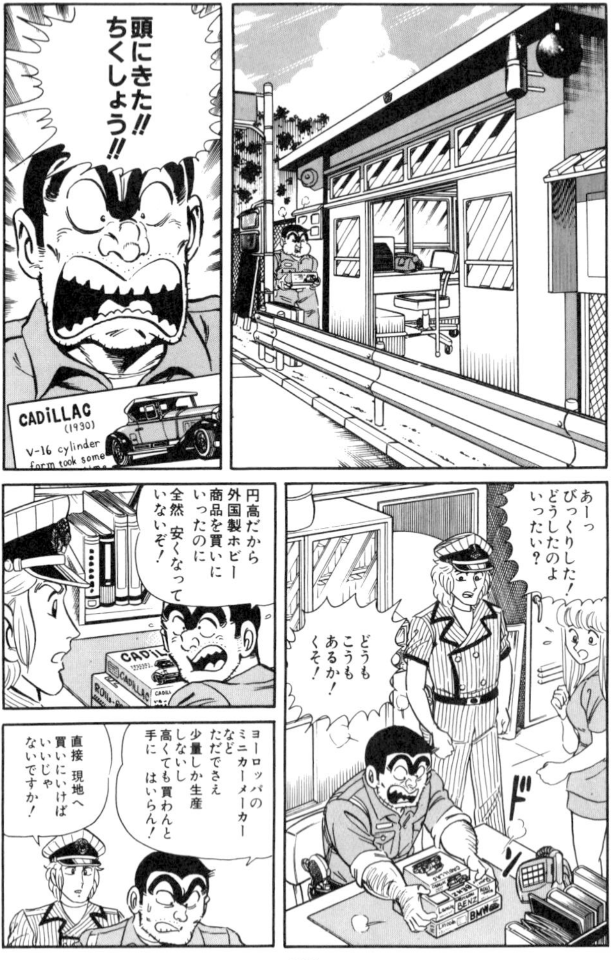
頭にきた!!
ちくしょう!!
CADILLAC
(1930)
V-16 cylinder
form took some
あーっ
びっくりした!
どうしたのよ
いったい?
どうも
こうも
あるか!
くそ!
ドン
円高だから
外国製ホビー
商品を買いに
いったのに
全然 安くなって
いないぞ!
CADILLAC
ヨーロッパの
ミニカーメーカー
など
ただでさえ
少量しか生産
しないし
高くても買わんと
手に はいらん!
直接 現地へ
買いにいけば
いいじゃ
ないですか!
BENZ
BMW

おまえらみたいに なん度も ヨーロッパに いける立場じゃ ないんだぞ!
わしらは 輸入代理店 ← 卸業者 ← 町のおもちゃ屋の プロセスを とおってきて手に いれることしか できないのだ
業者が からめば 高くなるのは あたりまえ ですよ
㊟1ドル 220円だったのが 今は160円だぞ 60円は どこに いったんだよ!?
ポルシェや フェラーリなどの 高級外車は 円高なのに 値上げ してんだぞ! どうなって るんだ!? 世の中!!
ぼくに いわれても ちょっと…!!
日本の 経済が よくない のよ
その とおり! 政治が 悪い!
総理大臣に ちょっと話を つけてくる!
ダメですよ ダメ! 先輩のいうこと など 聞いて くれませんよ!
男同士で 話せば あいつも きっと 理解して くれる!
話すまえに 逮捕され ますから! やめたほうが いいです
バサッ
そのために これが あるんじゃ ない!

㊟連載当時のものです

選挙か！
自分の代わりに政治家に代表して行動してもらうのよ！
参議院選候補者
政治家がミニカーを安くしてくれるのかよ？
うーん すぐには安くならないけど…
大体 だれにいれると何が どうなるのかさっぱりわからん!?
こんなじじいたちじゃたよりになるとは思えん…
山田一郎
ザビエル青木
よし決めた！わしが選挙にでる!!
えっ!?
他人まかせは性《しょう》に 合わん！自分でやればやりたいようにやれるそれが一番いい！
先輩！学級委員に立候補するのとわけが ちがうんですよ
票が集まれば当選するわけだろう！おなじことだ！
理屈はそうなんですが…その票集めが大変なんですよ！
ジャンプの読者がひとり一票この私に投票すれば 一気に400万票集まる
子どもには選挙権がないからダメですよ

でも 最近はコメディアンも政治にでる時代よ 漫画の主人公だって出馬してもいいんじゃない!?
たしかに選挙もショーアップ化してきたけどね
先輩が政界にはいったら本当に日本の流れがかわってしまうようで不安なんだ
だからこそ政治に活気がでて いいんじゃない!
先輩本気で政界にでる意志がありますか?
ある!!
わかりました! ぼくが全面援助し力をかします
よし! たのむ! ぜひおもちゃを安くしよう!
3人そろって何を話してるんだ?
先輩が今度の参院選に立候補するんですよ部長!
なに? おまえが立候補するだと!?
そのとおりです
こんなバカ立候補させて「お笑いショー」でもやる気か冗談がすぎるぞ!
本気ですよ部長!

東京地方区でだすのか？
いえ　それだと今回激戦が予想されるので比例代表区で立候補させようと考えてます
5人以上の議員が必要なんだぞ　両津に議員のしりあいなどいると思うか？
だいじょうぶです！ ぼくに政治家のしりあいがいます　喜んで協力してくれますよ
両津など政治の素人だぞ
優秀な選挙参謀とスタッフをつけます！ 心配ありません！
選挙資金はどうするんだ!? ばくだいな金になるぞ!!
全部ぼくがひきうけます
選挙ってそんなに金がかかるのか？
そうよ！ 手続きするのに供託金がいるわ！ 両ちゃんの場合比例代表選出で名簿登載者ひとりにつき四百万円必要だから… 10人分で…
立候補まえに四千万円を国に預けないとだめね！
なに!! 四千万円!?
そうよ 落選したら国に没収されるのよ！
ショバ代みたいなもんか！ とても一般人じゃだせんな！
ほかに選挙事務所をかりたり ポスターをつくったり 運動員を集めたり かなりの金額になるわよ

まあ 金の面では 中川が いるかぎり 安心だ！ 十億でも 百億でも ドンとこいだ！
がんばってね
連絡つけました！ もうすぐ 選挙参謀が きます
うむ わかった！
もうきた さすがに はやい！
キッ
おまたせしました!!
彼が選挙運動の 総括参謀の 集義院《しゅうぎいん》 大五郎《だいごろう》氏《し》 です
先生！ 私におまかせ ください！ かならずや 赤じゅうたんを 踏ませて みせます！
ダルマ みたいな 顔だな！
さっそく 選挙運動の 計画の 打ちあわせを したいの ですが！
よろしい すぐいく
部長！ 私 しばらく 休暇を もらいます！
いずれ テレビの 国会中継や 時事放談で お目にかかると 思いますが…

日本道楽党
両津かんきち
後援会連絡所
必勝
両津かんきち
必勝
キイ!
この車みかけはボロだがのり心地はいいな
バタッ
当然ですよ エンジン足まわりなどベンツ190Eのをつかってます 改造費に八百万円かかりました
運動期間中にベンツなどにのっては庶民にひんしゅくを買います! 本物のベンツは当選してから!
はやくも政治のウラをみたような気がする…
先生おかえりなさい
先生おかえりなさい!
必勝
必
あいさつはいいから新しいポスターはできたか?

名まえを
ひ・ら・き
このように
なりましたが…
私が直す!
両津かんきち
よろしい!
あす中に
二万枚
はりまくれ!
ひ・ら・くって
どういう
ことだ?
名字や名まえを
ひらがなに
することです
これなら
おぼえやすいし
投票の時も
書きやすいのです
かんきち
むかし
鴛鴦鸚哥《えんおういんこ》丸《まる》 鬱男《うつお》
という立候補者が
いて おぼえられず
本人の一票しか
はいらなかった例が
あります
候補者に
ひらがなが
多いのは
そのためか!
だれだ!?
このだるまを
買ってきたのは
!?
はい
私ですが!
必勝
両津先生は
スケールの大きい
有力候補だぞ!
ハジを
かかす気か!!
申しわけ
ありません!
やはり
この位
ビッグで
ないと…
まるで
雪だるま
だな!
両津 かん
両津かんきち
必勝

そして いよいよ
選挙戦開幕――
私 このたび立候補した
日本道楽党《にほんどうらくとう》の
両津勘吉です！
物価高をストップさせるのは
この私しかいません!!
特に よりよい人生を
エンジョイするためには
力をおしみません！
日本人は
働きすぎです！
日本道楽党
両津かんきち
日本道楽党
両津かんきち
オオ！
当選した
あかつきには
週休四日！ 一日の
労働時間三時間！
バカンス二か月！
これを実現して
みせます!!
ワ
オオ
若者たちには
LP《エルピー》1枚百円 ビデオ
ソフト百五十円
映画入場料八十円
また 自動二輪
限定制度廃止！ 学校
の週休四日制 すべて
これを守ります！
ワーキャー
つづいて主婦の
みなさま！
私が当選したら
全国民給食
制度をとり
家庭から いっさい
食事づくりを
廃止してみせます
ワーキャー
キャワ

人生わずか七十年 もっともっと 遊びましょう 「なんとかなるさ」 この言葉が 大切です！
わが 日本道楽党では 「道楽のすすめ」の 本をだしています 競馬 競輪 パチンコ マージャンなどを わかりやすく 解説してます
道楽のすすめ
両津かんきち
日本道
がんばって くださーい！
ありがとう ありがとう 清き一票を 私に いれて ください！
日本道楽党
かんきち
先生 演説 お疲れさま でした
二日も ねてない からな フウ！
クーラー もっと きかせろ！
このあとも スケジュールが ギッシリです 二十分ほど やすんでください！
しかし！ 手を ふらんで ねてる わけには…
これを車の 外に みせて ますから ご心配なく！
よろしく!! 両津です
さすが 選挙の プロだ！ ぬかり ないな！

かえってきたぞ
カメラはやく!!
後援会 連絡所
ガヤ ガヤ
事務所に記者がきてるな先生打ちあわせどおりに!!
まかせろ!演技力は自信ある
両津候補おつかれさまですどうです手ごたえは!?
さっぱり読めませんね!私は ただ一所懸命やるだけです!
すごい汗だ!がんばってますね
先生食事です!
どうもご苦労さま!
オニギリだけですか?それで よく体がもちますね!
政治家として運動中に死ねれば本望です
パシャ
すばらしい!

日本道楽党のご主旨は？
日本人は働きすぎです！企業の歯車になってはいけません！いっそ仕事を道楽でやるとかそのくらいの気がまえが必要です！
我が道楽党が政権をにぎった晩にはGNP《ジーエヌピー》世界最下位完全失業率100%《パーセント》失業保険料年間五百万円をめざしています！
大胆なご意見で…
おーいつぎの事務所へうつるぞ
じゃご健闘をいのってます
いやありがと
北野
マスコミかえったな！
先生中に食事の用意がしてあります！
いやあ中はすずしくて気もちいい
ピュー
ピロピロピロ
ピュイーン
どうだ参謀!!票の読みは？
うーむまだですね

足立《あだち》 葛飾《かつしか》
台東 墨田《すみだ》など
下町は有利だが まだ
票が足りません
あと五万票
とれば
安心
なのですが…
まかせろ
いい方法がある!
これは
インパクトが
強いぞ!!
部長さん
両ちゃんが
でるわよ
あいつが
事件以外で
テレビに
でるのは
めずらしいな
しっ
始まった
わ!
経歴を
紹介します
浅草生まれ
浅草《あさくさ》野《の》高校《こうこう》
中退 その後
パチンコ
競馬場で
補導歴15回
その縁で
警察官になり
始末書無数
懲戒処分は18回
つづいて
日本道楽党の
両津かんきち
さんです
まるでハジを
さらしてる
ようなものだ
あっ!
なん
ですか!?

じゃ～ん
ハァーイ 私が 道楽党の 両さんだ よ～ん!!
ぴーす ぴーす
きょうは 生放送 ですよ!! その スタイルは ちょっと!!
この私が 日本を なおす! 本当だ よ～ん!!
佃島《つくだじま》の じーちゃん みてる!? オレだよ オレ!!
一日中 遊んで くらせる 日本にします! ぜひ道楽党に いれて ちゃぶだい!!
どうせ こんなこと だと 思った…
その奇抜さで 両津候補は マスコミに とりあげられ 反響をよんだ!
時代の風雲児 現る!!
泡沫候補の雄
かたい選挙戦の中 彼の行動・言動 すべてがユニークで ヒーローに祭り あげられた!
今度は 森田健作《もりたけんさく》のマネ! おーい オレに 投票してくれぃ!!
日本道楽党
両津かんき
日本道楽党
両津かんき
しかし それが票に むすびつくとは かぎらない
両津
おもしろい 人だけど やはり票は いれられ ないわね
そう! まじめな 人じゃ ないと 心配!
あのおじさんに 投票してよ パパ!!
ははは
わははは
日本道楽党
両津かんきち
だめだ! おもしろい だけで パアだから!

そしていよいよ開票日!!
みてくださいコンピュータで当選率99%とでています
そうかぐふ!ぐふ!
あと数時間後には両津議員誕生です!
思えばハードな戦いだった大五郎ご苦労であった
先生!マスコミがおまちかねです!
いよいよクライマックスだ
シュッ
いやあみなさん!おまたせしました!
マスコミのみなさんもっとまえへどうぞ
必勝
ガヤ
ガヤ
ガヤ
ダルマに目をいれる時はこの角度でいいですか?
OKですバッチリ!
国産党《こくさんとう》田山二郎《たやまじろう》当選確実公民党《こうみんとう》…
それにしてもまだか…開票がおそいな!

道楽党
1票！
なに!?
両津かんきち
このテレビ
こわれて
るんじゃ
ねえのか
ガン
先輩
おちついて
ください!!
ガン
ガン
道楽党
2票
ですね！
ぼくの
1票だ
きっと
いや！
7票ですね
全部で
7票はいって
ます！
ひい
ふう
みい
よう…
運動員の
数しか
はいって
いない
そのよう
ですね…
参謀!!
きさま！
ぜったい当選と
いったじゃ
ないか!!
データの上では
十分な得票を
得ていたんです！
さて！
つぎの事務所へ
急がないと!!
私も
用事が！
ということで
話題の多かった
道楽党は
花火のごとく
きえさった
ようですね
つぎの
ニュース
です…

夏の交通安全
しかし 日本では まだ保守的な 人が多く あのような 前衛的な候補は まだ はやかった ようで… あいた!
あとに なって いうな! どうすんだよ この野郎!!
7票しか はいらなかった のは 例が ないって いってるわ
これで 世の中 安心だ!
私がクビ ですって!? そんな バカな! 冗談でしょ ねっ! 部長!!
立候補すると 公務員は職を 失うわけだ! 公職選挙法第九〇条でね しらなかったの!? つまり きみは落選と 同時に無職になって しまったわけだ! 大変だねェ
参議院選挙の手引き 61

★週刊少年ジャンプ1986年36号

使いすて万歳《ばんざい》！の巻《まき》

下町探訪扉絵シリーズ

富岡八幡宮《とみおかはちまんぐう》（東京・江東区《こうとうく》深川《ふかがわ》）

9月にはいってもまだまだ暑い日がつづくな!
そうですね
おまわりさん写真とっていい?
おう いいよ
はい チーズ
カチャッ
どうもありがとう
写真できたら派出所にもってこいよ

ずいぶん小さなカメラだったな
使いすてですよ
カメラごと現像にだすんです 1,000円くらいで売ってますよ
ちゃんと写せてその値段じゃ安いな!
こわれて直すより新しい物を買った方が安い場合もありますからね
100円ライターも大ヒットして今や主流だからな!
そういえばラジオの安いのも売ってたぞ
大量消費の世の中ですからね
今に自転車も安くなって500円くらいで売ったりしてな!
おや!? なんだこりゃ!?

ずいぶんかわった自転車だな!
あっこら!こら!
その自転車にさわっちゃいかん!
これは500円自転車の試作品だ
えっ!?
本当にあるとは思わなかった
本当ですね
どうしてそんなに安く売れるんだよ!?
ん!!
駅までの通勤専門自転車だ800グラムという軽さそして雨でもさびない!
折りたためば1/4サイズになるから駅前が広くなる
新素材だグラスファイバーより強く安い・100・%そのプラスチックを使ってる
タイヤまでプラか!?
コン

駅前の自動販売機で売るつもりだ
なんと!
CHARINCO POY
↑上へあげ お取り下さい
キットになっていてだれでも3分で組める
チャリンコポイ 500円
考えたなあ
使いすてられたら町中にちらかってしまいますよ
もちろんそこは考えてある
このスクラップ機を販売機のとなりに置いておく
使いすての自転車はここにおすて下さい
CHARINCO POY
自転車スクラップ
100%プラスチックだから溶かして再生利用できる
CHARINCO POY
なるほどなあ…

放置自転車の対策としてここに使用期限があらわれる
1か月たつとこの部分が赤くかわり終了する
赤マークがついた自転車は所有権がなくなり処分しなければいけない
物にはすべて使用期限をきめないとダメだ！物を大切にする時代はおわった
ほかにもいろいろな使いすて商品を考えてある
おもしろそうだな見せてくれ
先輩パトロールの途中ですよ！
わしはやーめた！おまえひとりでパトロールすればいいじゃん！
すぐより道しちゃうんだからな！

ずいぶんいろんな物があるんだな!!
まだ開発段階だがな
使いすて住宅
10年住んでポイ
使いすて仏壇
使いすてスキー
使いすてフロ
この自動車も使いすてなのか?
50ccの原付きカーだ郊外で駅までの通勤用に作った物だ二万キロ乗ってすてる!
組み立てカンタン
シビックタイプ
このバイクもバッテリーで走る10回充電してすてる!
そうさはカンタン

若者向きにヘッドホンステレオも開発した！200円で市販するつもりだ！
そんなに安いのか!?
電池式でなく手動式だからな
プルバックゼンマイが組みこまれているんだ チョロQのゼンマイみたいなものだ
これをこのようにしてゼンマイを巻く！
カリカリ
カリカリ
カリカリ
一回のチャージで6曲聞ける！LPのA面分だな
ほう
これをレコード店にならべて売ってもらう
DX《デラックス》タイプは電池内蔵式で400曲聞いてポイか！
けっこういい音だ
安くても品質は高水準でなくてはいかん！

使いすてのコタツも考えたぞ
使いすてひな人形
ちゃんとふとん付きか!!
そうだ!すべて紙でできている
紙じゃ燃えてあぶないぞ!
電気不要で安全だ こうして空気にふれると すぐ暖まる
暖かさが足りない時はもめば より熱くなる
使いすてのカイロの親分みたいだな!
使いすてカツラ
その通り これで3か月もつ ひと冬は使えるわけだ
最後には燃やして暖まればいい
使いすてウィンドサーフィ
とことん使いはたすわけか
紙製麻雀パイ
使いすてクーラーも開発した
え!?
ホームクーラー
使用法
12畳用
強力
カンヅメみたいだな!?
いいかよく見てろ!こうして…

うわっ!!
冷気がでてきた！すずしくなってきたぞ
この広さなら1分で18度にするパワーがある
3時間は冷気がでている完全に閉めきった部屋なら1日すずしい1個300円
こりゃ売れるぞ！すごい発明だ！
それが あまい！市販したとたん大手メーカーにマネされもっと安く売られてしまう!!
そういえば以前「発明の巻」で紹介したアイデアがマネされたことがあったな
そうだろギャグ漫画だと思ってなめてマネする者がいる！とんでもないことだ！考えるのは大変なんだぞ!!
かといって発明の品を紹介しなきゃ漫画がすすまんぞ
そこがつらいところなんだ！つづけよう！つぎがこの使いすてストーブ！
使いすて竹馬

これも100円だ 固型燃料がなくなったらおしまい
お湯もわかせるな!
ストーブ
すきやきセット
固形燃料付 ワンタッチ
さらに紙でできた冠婚葬祭用のスーツセット500円 一回着ておしまい
えっ これが紙か!?
紙といっても化学せんいがはいっていて耐久性抜群だ 洗たくもできる
クツやネクタイまで紙か! よくできてるな
振り袖セットもある これは高くて2,000円もする
あっ
もっとも品質がいいから10回までは使用可能だが
ウエディング 七五三セット
紙水着
すべてが紙か うーむ… すごい
使いすての集大成がこの旅行用トランクだ
ゴロゴロ

カメラ ラジオ 時計 カセットレコーダー ハブラシ シェーバー ドライヤー 下着 服 タオル 旅行に必要な物 すべてが はいっていて すべてが使いすて 商品
旅を しながら 使いおわった物は つぎからつぎへ すてていく
最終地点で トランクも すてて かえりは 手ぶらと いうわけ！
すばらしい アイデアだ
しかし この試作品を いかに世の中に アピールさせ 売り出すかが 問題だぞ
そうなんだ 今回のは 構想3年を かけた秀作 ばかりだから ぜひ ヒットさせたい！
よし！ わしが 力をかして やろう！
えっ！ あんたが!?
夏の交通安全
えっ！ 先輩が 販売部長 ですって!?

来週から
500円自転車を
市販する
そのあと
200円ステレオ
100円カメラと
新製品を
どんどんだす
テレビや雑誌は
目新しい物を
もとめている
マスコミの波に
うまくのれば
億万長者だ！
いったい
あの発明家は
どういう人
なんですか？
なんでも
昔から使いすて商品を
研究してるらしい
彼の嫁さんの実家が
金持ちでスポンサーに
なってる
今度もかなり
バックアップして
くれてる
先輩の責任も
重大ですね
そこは
もう
バッチリ
だよ！
原宿《はらじゅく》
歩行者天国
HONDA
HONDA

おい
なんだ!?
すごい
美人!
おい
カメラに
おさめて
おけ!!
かわった
自転車に
乗ってるぞ!!
UFO
アイドル
生写真
パシャ
パシャ
パシャ
なっ・
美人の
エサは
マスコミが
すぐ
くいつく!
あの
自転車も
カメラに
おさめられる
わけか
なるほど!
みなさん!
何を
かくそう
その自転車
今アメリカで
大ブームの
500円自転車
です!!
CHARINCO
えっ!?
500円!?
安い!?
どこで
売ってるん
ですか!?
我が社で
販売
してます
カッコ
いいな
ほんと!
KISS
FAIRYS
アイドル生写真
ガヤ
ガヤ
ガヤ
ガヤ

今や自転車も使いすて時代 30日乗ってポイ！
我が社の「チャリンコポイ」きみも今日から「チャリンコポイ」に夢中さ！
チャリンコポイ 500
今日「チャリンコポイ」ご予約の方にチャリンコTシャツプレゼント中！
買う！
ぼくも買う!!
ワー
CHARINCO POY
すごい反響だ!!
こいつは記事になりそうだ
キャ
ワー
500円という驚くべき価格でマスコミにとりあげられ作戦は みごと成功した!!
自転車登場!!
ついに500円
チャリンコポイ
使いすてサイクル時代に！
週刊新時代
今ブーム、チャリンコ
今、話題のビックリチャリンコ!!
オプションで時刻表と大型時計も
「チャリンコポイ」は大当たりをし工場も拡大していった
チャリンコポイ
チャリンコポイ株式会社
チャリンコポン
はいっ！おはようございます！「社長さんこんにちは!!」のコーナーです
今日は今 話題の「チャリンコポイ」の社長さん宅にうかがってます！

社長!!「チャリンコポイ」の大ヒットの要因はなんですか!?
世の中のニーズに応えでるべくしてでた商品!そんなところだ
第二弾も企画中とか聞きましたが…
企業秘密だがどうせマネできないからいいましょう
50円のビデオデッキ!! 単三電池一本で8時間使用可能 これをだがし屋で販売する!
なるほどそれはマネできない…
今後は会社をどのように!?
海外進出だね! 500円自転車なら円高などものともせずジャンジャン買ってくれるよ
最後に社長年商はどのくらいですか!?
まあこのペースでいけば10兆円かね! 国家予算が目標だよ
ずはは
話題づくりにかけては天下一品 あちこちの雑誌でハッタリをかましまくった
チャリンコポイ社
v.s 両津社長
プレジデント 10
あの「チャリンコポイ」の社長にインタビュー
「人生はゲームだ」と
BIG《ビッグ》 YESTERDAY《イエスタディー》
両津氏語る!! 私が売る!!
企業革命 VOL 03
何故「チャリンコポイ」は売れるのか!?
現代の怪物商法
NEWS W

やった
やった!!
チャリンコポイ株式会社
ガチャ
ガチャ
大当たりだ!
マスコミを
利用して
大正解
だったろ!
両津さんは
社長役が
ピッタリ!!
いやあ
すばらしい!
しかし
あの価格は
5万台以上
売れて ようやく
黒字になる
価格ですからね!
今は
3万台…
まだ
赤字の状態
ですよ
何ケチなこと
いってるんだ
「チャリンコポイ」は
大ヒット商品だ
100万台は軽い!
ガチャ
ガチャ
ガチャ
ガチャ
開発部長の
おまえは つぎの
使いすて商品を
考えろ!
販売は
わしに まかせろ!
「損して得とれ」
これが商人の
鉄則だ
なにごとも
ブームになると
下火になるもので
「チャリンコポイ」も
5万台がやっとで
さがりはじめた
ゴミすてば
どうも
損して損をとって
しまったようだ

え!? 工場を縮小してしまったんですか?
全体の売り上げが不振なんだ
「チャリンコポイ」のはじめの勢いでどんどん工場などを拡張して新製品をバンバンだしたんだが…
はじめはめずらしがって売れるんだが… 500個くらいで頭打ちになってあとは返品の山
大変でしたね
食品部門まで手をだしたのがこの「激あまラーメン」「烈あまヤキソバ」「大あまうどん」これが大ハズレ!!
先の先を読みすぎて失敗!!
500円自転車も5万台じゃ赤字でしょう
だろうな 従業員が毎週ひとりずつやめていくからな

★週刊少年ジャンプ1986年41号

草野球オリンピックの巻
なんだって!!ピッチャーがいない?
亀有シネマ
東京シンデレラ姫
商店街草野球事務所
町内対抗草野球大会
11月1日～30日
ピッチャーの魚屋さんがケガで入院してしまったんだ2週間はムリだ
これからの対戦相手は強豪チームだリリーフの山《やま》さんだけじゃきついぞ
まったくとんでもない時にケガをしてくれたよ!
せっかく準決勝まできたというのにそれはきついな

だれか強力な助っ人が必要だな
うむ！とびきりパワーのある男が…
ひとり思いあたる男がいる！
わしもひとりしってる
そうだなあの男しかいないいな
しかし草野球などやってくれるかな？タダじゃうごかない男だぞ！あの人は！
方法がひとつある！絶対 チームにいれる手が！
それには商店街の協力が必要だ！
秋の交通安全週間
完成だ!!

すばらしい！ ポケールのモデルを わずか ひと晩で 組みたてて しまった！
私の技術は イタリアの 職人以上 だね！
相変わらず さぼって いるよ！
ぬおっ
なんだ きさまら！ 徒党を組んで 借金の取りたてに くるとは 卑怯だぞ!!
年内には 必ず かえすと いってるじゃ ないか！
そのことで いい話を もってきたん だよ 両さん！
我われに 協力して くれたら 借金を 帳消しに しようと 思ってね
なに!! 帳消しに!?

消火器
すると チームが 優勝したら 借金は 本当にチャラ なんだな
もちろん! 2位の場合は 半額だ! 2試合出場 してくれる だけでいい!
酒屋 おもちゃ屋 プラモ屋 飲み屋 などの借金 24万円がタダに なるチャンスだ
悪い話とは 思わんがな
ガタッ
その話 ぜひ協力 しよう!
お互いの 平和と 幸せの ために!
ガッ
おおっ よかった!!

うおりゃあ!!
キイイイイン
またホームランだ
すごい力だな
まったくだ
バシャ
キャッチャーいくぞ!!
いいよ!
ブーン
ブーン
でえい!!
うわっ
バキ

すごいパワーだ!
まさに借金が生みだすパワーだ!
優勝も夢じゃないぞ
きょうの夜勤さぼるからな部長にはいうなよ!
また野球ですか! いきなり野球はじめだして何か あったんですか?
体を きたえるためにな!! 野球は体にいいぞ!!
鋼鉄みたいな体を あれ以上どうやってきたえるというんだろう?
何か わけがありそうね!
草野球大会準決勝戦—
プレイボール!!

おーい
キャッチャー!
ストライク
いくぞ!!
OK!
ストライク
宣言か
その手は
くわんぞ
ワイルドワンズ
でい!!
本当に
ストライクの
直球で
きた!
ホームラン
いただき!

ぎゃあああ 腕の骨が 折れた!!
うぬ おそるべき ピッチャーだ!
ロケット弾を 打つような ものですよ あれは…
ワイルドワーンズ
うおお
ガカ
キーン
おりゃあ!
ぐおっ
ぎゃあ!
やったあ ホームランだ!
ははは まずは 先取点だ
KAMEARI

どういうわけか相手チームは負傷者続出! ついに3回表で棄権したよ
あすはいよいよ決勝戦進出ってわけだ
ということは先輩の借金が半分になったわけですね
その通り あす勝てばチャラ!!
あすはボクたちも応援しにいきますよ
ぜひこい! わしの華麗なるプレイを見せてやる!
これより草野球大会決勝戦をおこないます
試合開始!!

ようし ホームラン かっと ばすぞ!
先輩!! がんばって!
なんか 雨雲が でてきた わよ!
ストライク バッター アウト!!
くそ~ッ すごい 変化球だ!
ガーン
えらい ことだよ 両さん!
相手の ピッチャーは 元プロ野球 選手だって!
なんだって!
雨が降りそう だから 早目に 点を入れて おわりにするか!
そう! 手加減は 無用だ
TOKYO
TOKYO
ほかに元 オリンピック 出場者など スポーツ万能の チームだ 勝ち目ないよ
こっちは ただの 商店街チーム だからな… ちくしょう!

ザアァ
5回で
23対0だって
めちゃくちゃ
負けてるよ!
雨が だんだん
強くなったわ
車に
はいりましょう
この雨が
味方をして
くれるかも
しれんぞ
えっ
どうして!?
雨でグラウンドが
悪くなったから
おたくの負けと
いうことで
終了しようと
いってるん
ですが…
なに!!
まだ試合は
半分のこってる
だろうが!
しかし
23対0
ですよ
ムリでしょう
おまえら
それでも 元
オリンピック選手か
なぜ途中で
やめるんだ!
スポーツマン
シップに のっとり
正々堂々と
さいごまで
勝負しろ!!
よし!
わかった
9回まで
やろう!
どんなこと
あっても
中止は
するなよ!
借金の半分が
かかってるから
両さんも
必死だな
でも勝てる
望みは
ないぞ

ますます雨が ひどくなってきた! ストライクゾーンがよく見えん
足場も悪くて力がはいらん!
ザアアアァ
さあこい!
いかん! すっぽぬけた!!
いただき!!
キィ
ぐわっ
5点かえした つぎは 守りだ! しまっていけよ!
おう!
ザアア
やった! セカンドがのびてる間にまわれ!
これで3点いただき!
バシャ
バシャ

新魔球だ!!
うおっ
ボールが
四つに!?
ストライク
きたない!
泥で作った
球も
いっしょに
投げたぞ!!
審判殿!
このぬかるみ
状態では
手に多少の
泥が つくのは
仕方のない
ことと思われます
うむ
仕方
ないな
先輩得意の
インチキ投球が
あらわれて
きたよ
こういう
状態での
戦いでは
両ちゃんの方が
有利ね!
打たれた!
OK
楽勝!!

これでスリーアウトチェンジだ
あっ
残念でした！
さすが元体操選手!!
うまいうまい
パチパチ
おっ2塁もガラあき！
いただき！
あっ盗塁だ!!
ははは ムダだ 50メートル5秒フラットだ
追いつけるはずがない！

そうはいかんぞ!!
うわっ!?
アウト!!
ぐわっ!!
泥の中にかくれていやがった！きたねーっ
ムツゴロウみたいなヤツだな
段だん水かさも増えてきたぞ！まだ続けるのか!?
さいごまでやるといったろ！あと1点で同点だからな
くそ！思うように投げられん！

ザザ
ズ
ザ
ゴッ
ズゥルルルル
ぐわっ
まるで魚雷だな!
バシャ
バシャ
おーい だいじょうぶか!?
やったぜ! ランニング… いや!
スイミングホームランだ!
ザーザー
よし! オレにまかせろ!
パパ
両さん はやく にげろ!
その男は水泳選手でゴールドメダリストだぞ
ザザザザザ
なっ なんだって!
いかん! あの男は!!
あっ そうか!
ズザザザザ

冗談じゃない! とんでもない やつが守備に いやがるな!
ホームまで あと30メートルも あるんだぞ!!
ははは ムダだ! にげられる はずがない!
あと50センチ
あっ!?
この台風で 住宅が 流されたのか!? 悲惨な家だ!!
しかし おかげで 助かった!
先輩! 土手が決壊 します! もう やめて かえりましょう
ばかもの!! 勝つまで やめるものか!
必殺 シンクロナイズド 打法!!

まてい！
2塁に
いかせる
ものか!!
ザザザザ
ひいい
タッチ
アウト!!
ぎゃあっ
ゴボボ
さいごまで
やったんですか
あの嵐の中!?
もちろん!!
9回裏まで
やったとも！
回が増すごとに
選手が流されて
いってな！
最終回は
一対一のサシで
勝負した
それは もう
野球とは
いえない
ですよ！
8回からは
ほとんど
水球だよ
おたがい
立ち泳ぎの
試合だからな
よくやるわ
ねえ
本当に！

こちら葛飾区亀有公園前派出所⑩(完)

★週刊少年ジャンプ1986年48号

解説エッセイ「警官の制服姿がこんなにエロチックに見えるって、すごい」

布施英利（学者・作家）

軍人や警官の制服って、あまり好きじゃない。オウムの事件の直後、警官が多くの家をしらみ潰しに調べていて、ぼくの住むマンションでも、制服を着た警官がうろうろしていた。ぼくは仕事場と自宅が同じマンションの同じ階にあるから、通路を昼間から何度も行き来する。大の男が会社に行かないで昼から何してるんだろう、と疑惑の目でみられていろいろ質問される。仕事場の中まで覗かれる。もちろん警察の方も事件を解決しようと懸命なのだ。たいへんなのだ。でも日常の空間に、こういう制服がチラチラするのって愉快なことではない。

でも『こち亀』の両さんが着ている制服は親しみがわく。着こなしがいいのだろう。いつも肘のあたりまで袖を折っている。そこから毛深い二の腕がのぞいている。また足は、サンダル履きだ。靴下は履いていない。つまり手と足の先の「肌」が露出している。この肌の露出が、制服という硬いイメージと対照的で、人の体の持つ生々しい感じが際立つ。
また両手をポケットに入れ、がに股で歩いている。この姿勢が「制服」と対照的でいい。制服にふさわしい姿勢は「直立不動」だと思うが、両さんはその正反対だ。
このがに股、両手ポケットという姿は、さらに細かく分析すると造形として面白い。ポケットに両手を入れると、肘が外につっぱる。つまり腕も「がに股」のようになる。すると全身のシルエットが、肘と膝のところで外側に尖り、肩と腰のところで内側にしまる。さらに足先が外に向いた姿勢なので、足首が内側に向き、足先が外に出っ張る。
両さんが立った姿を正面から見ると、凹凸が大きいのだ。全身のシルエットで輪郭が大きいというのは、グラマーな女性の体である。よくコカコーラの瓶の凹凸が、女性の肉体のエロスを抽象化したものだといわれる。古代ギリシアのキクラデス時代の彫刻も、そのような肉体のエロチックな側面を、単純化して造形している。両さんの体の凹凸は、バストやヒップによるものではなく、がに股やつっぱった肘によるものだが、その形を抽象化して単純にすれば、女性のグラマーな美と本質は同じである。そのような両さんの姿勢が作りだす肉体のシルエットが、制服の袖まくりをしサンダル履きという「着こなし」にプラスされて、とても魅力的にみえる。ぼくは男性警官の制服姿に性的魅力を感じるような趣味はないが、両さんだけは例外でエロチックですらある。
警官の制服姿がこんなにエロチックに見えるって、すごい。
エロスの感覚というのは、どんなとき生まれるのだろう。ただ、裸になればいい、というものではない。そこにはさらに入り組んだ「仕組み」があるはずだ。かつて解剖学者の養老孟司氏が、「色気」の仕組みについて書いているのを読んだことがある。そこで氏は、色気というのは整った形が崩れたときに生じる、と説明している。端正な顔の美人がいる。しかしそれだけでは色気は感じない。その端正さが何かの瞬間に崩れたとき、そこから色気が漂ってくる。もちろん「崩れる」こと自体が色気なのではない。整ったものが崩れて、はじめて色気が生まれる。だから崩れた容姿の人は、まず化粧や衣装などで「整えないと」いけない。そして次にそれを崩す。そのとき、色気が生じる。やや複雑な色気である。養老氏はそれを、玄人好みの色気とよぶ。
制服姿の両さんの魅力も、この「玄人好みの色気」に似ている。両さんは、警官の制服を着なければ、ただのだらしない男である。それを「整える」には、制服姿の警官というくらいの変身が必要だ。町役場の職員くらいでは、まだ「かたさ」が足りない。そんなふうにして、両さんの姿が「整う」。次はそれを崩す。これは先に説明したような「着こなし」

で達成される。制服の袖をまくる。サンダル履きでがに股で歩く。両手をポケットに入れ、肘を張る（これってツッパリ高校生ではないか）。そんなふうに「崩す」。だから、そこからエロスが漂う。つまり、制服があるがゆえに、エロチックなのだ。

警官の制服姿がエロチックにみえる、そんな演出をする秋本治さんの演出力はすごい。もっとも味けないはずの姿を、正反対のエロスにまでひっぱりあげる。しかも味も色気もないような両さんのような男（失礼！）を使って、そこからエロスを引き出すのだ。こんなはなれ技、誰にもできるものではない。しかし同時に、それは警官の制服だからできたことでもある。ある意味では、おしゃれな服を着せるより、警官の制服姿のほうが、色っぽく演出しやすい。もちろん、そこに着目しマンガにしている秋本氏のアイデアには脱帽するしかない。

そんなエロスの匂いを発散させる両さんのような警察官が身近にいたらいい。親しみが持てる。しかし現実に本当にこのような警官がいたらどうだろう。もしオウムの捜査で、こういう警官がマンションの通路をうろうろしていたら。それも悪くはないが、現実としては頼りない。現実の警官は、いまいる警官のような方たちでいいのだと思う。

いっぽう両さんは、マンガというフィクションの中だからこそ、その存在が光る。やはりそれぞれの人材にふさわしい場所というものがある。
　ところで先日の夜、車を運転していて酒飲み運転の調べを受けたことがある。道行く車を全て止めて、ドライバーが酒を飲んでいないか検査する。その時の方法は原始的なやり方で、機械を使わずに、警官の鼻に直接に息を吹きかける、というものだった。車を止めて窓を開けると、制服姿の警官が顔を突き出す。その数センチ離れた警官の顔に、ハーッと息を吐く。夜中にそんな行為をするのも不気味だが、こちらは一回で済む。しかし警官の方は、次々とドライバーの息を嗅ぎ続ける。仕事とはいえ大変だ。酒臭い匂いなら「仕事」になるが、いろんなタイプの臭さがあるだろう。警察官というのは、ほんとうに大変な仕事なのだと思う。
　ぼくはその酒飲み運転検査があった帰り道、もしあの時、窓から顔を出してきた警官が両さんだったらどうだろう、と考えてみた。太い眉毛でいかつい顔の髭づらが、日の前に迫る。窓枠に置いた腕は袖まくりされている。その男の鼻に息を吹きかける。かなり屈折した心理である。「両さん的な」男だったら、ちょっとご遠慮したが、両さんその人ならまあいいか、とも思う。それも秋本氏の筆力ゆえなのだろう。

掲載作品は集英社より刊行されたジャンプ・コミックス『こちら葛飾区亀有公園前派出所』第51巻（1988年4月）第52巻（同6月）第53巻（同8月）の中から、著者自らが精選して収録したものです。

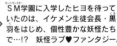

集英社文庫〈コミック版〉既刊リスト

●秋本 治
自選こち亀コレクション
こちら葛飾区亀有公園前派出所〈全26巻〉
こちら葛飾区亀有公園前派出所ミニ〈全4巻〉
こちら葛飾区亀有公園前派出所・大入袋〈全10巻〉
秋本治傑作集〈上・中・下〉
こち亀文庫①～⑰

●浅田弘幸
浅田弘幸作品集1 蓮華
浅田弘幸作品集2 眠兎
BADだねヨシオくん!①②

●麻宮騎亜
快傑蒸気探偵団〈全8巻〉

●浅美裕子
WILD HALF〈全10巻〉

●荒木飛呂彦
魔少年ビーティー
バオー来訪者
ジョジョの奇妙な冒険①～㊿
オインゴとボインゴ兄弟大冒険

●作・三条 陸
画・稲田浩司
監修・堀井雄二
ドラゴンクエスト ダイの大冒険〈全22巻〉

●今泉伸二
空のキャンバス〈全5巻〉

●うすた京介
武士沢レシーブ

●梅澤春人
BØY〈全20巻〉

●江川達也
まじかる☆タルるートくん〈全14巻〉

●えんどコイチ
死神くん〈全8巻〉
ついでにとんちんかん〈全6巻〉

●作・真倉 翔
画・岡野 剛
地獄先生ぬ～べ～〈全20巻〉

●荻野 真
孔雀王〈全11巻〉
孔雀王―退魔聖伝―〈全7巻〉
夜叉鴉〈全6巻〉

●奥 浩哉
変〈全9巻〉

●作・写楽麿
画・小畑 健
人形草紙あやつり左近〈全3巻〉

●作・城アラキ
画・甲斐谷忍
監修・堀 賢一
ソムリエ〈全6巻〉

●かずはじめ
MIND ASSASSIN〈全3巻〉
明稜帝梧桐勢十郎〈全6巻〉
かずはじめ作品集1 遊天使
かずはじめ作品集2 Juto
かずはじめ作品集3 0-Game

●桂 正和
ウイングマン〈全7巻〉
超機動員ヴァンダー
プレゼント・フロムLEMON
電影少女〈全9巻〉

●作・鏡 丈二
画・金井たつお
ホールインワン〈全8巻〉

●ガモウひろし
とっても!ラッキーマン〈全8巻〉

●きたがわ翔
19〈NINETEEN〉〈全7巻〉
ホットマン〈全10巻〉
B.B.フィッシュ〈全9巻〉

●桐山光侍
NINKU―忍空―〈全6巻〉

●車田正美
風魔の小次郎〈全6巻〉
男坂〈上・下〉
聖闘士星矢〈全15巻〉
雷鳴のZAJI
あかね色の風

●作・寺島 優
画・小谷憲一
テニスボーイ〈全9巻〉

●許斐 剛
COOL〈全2巻〉

●佐藤 正
燃える!お兄さん〈全12巻〉

●柴田亜美
自由人HERO〈全8巻〉

●作・城アラキ
画・志水三喜郎
監修・堀 賢一
新ソムリエ 瞬のワイン〈全6巻〉

●新沢基栄
3年奇面組〈全4巻〉
ハイスクール!奇面組〈全13巻〉

●鈴木 央
ライジング インパクト〈全10巻〉

●高橋和希
遊☆戯☆王〈全22巻〉

●高橋陽一
キャプテン翼〈全21巻〉
キャプテン翼―ワールドユース編―〈全12巻〉
キャプテン翼 ROAD TO 2002〈全10巻〉

●高橋よしひろ
エース!〈全6巻〉
銀牙―流れ星 銀―〈全10巻〉
白い戦士ヤマト〈全14巻〉

●武井宏之
仏ゾーン〈全2巻〉

●作・夢枕　獏
画・谷口ジロー
神々の山嶺〈全5巻〉
●ちばあきお
キャプテン〈全15巻〉
プレイボール〈全11巻〉
●作・七三太朗
画・ちばあきお
ふしぎトーボくん〈全4巻〉
●次原隆二
よろしくメカドック〈全7巻〉
●つの丸
みどりのマキバオー〈全10巻〉
●手塚治虫
名作集①ゴッドファーザーの息子
名作集②雨ふり小僧
名作集③百物語
名作集④マンションOBA
名作集⑤はるかなる星
名作集⑥白縫
名作集⑦⑧フライング・ベン〈全2巻〉
名作集⑨⑩ナンバー7〈全2巻〉
名作集⑪新選組
名作集⑫⑬⑭ビッグX〈全3巻〉
名作集⑮⑯アポロの歌〈全2巻〉
名作集⑰グランドール
名作集⑱光線銃ジャック
名作集⑲緑の猫
名作集⑳くろい宇宙線
名作集㉑どついたれ
●冨樫義博
てんで性悪キューピッド〈全2巻〉
●徳弘正也
シェイプアップ乱〈全8巻〉
●鳥山　明
Dr.スランプ〈全9巻〉
鳥山明　満漢全席①②
●作・武論尊
画・原　哲夫
北斗の拳〈全15巻〉
●樋口大輔
ホイッスル！〈全15巻〉
樋口大輔作品集
BREAK FREE＋《プラス》
●作・牛次郎
画・ビッグ錠
包丁人味平〈全12巻〉
●ビッグ錠
一本包丁満太郎セレクション〈全8巻〉
●平松伸二
ブラック・エンジェルズ〈全12巻〉
●作・武論尊
画・平松伸二
ドーベルマン刑事〈全18巻〉
●藤崎　竜
藤崎　竜作品集1
サイコプラス
藤崎　竜作品集2
サクラテツ対話篇
藤崎　竜作品集3
天球儀
ワークワーク〈全3巻〉
●星野之宣
妖女伝説〈全2巻〉
MIDWAY〈歴史編〉〈宇宙編〉
●巻来功士
ゴッドサイダー〈全6巻〉
●まつもと泉
きまぐれオレンジ★ロード〈全10巻〉
●光原　伸
せさみ★すとりーと〈全2巻〉
アウターゾーン〈全10巻〉
●宮下あきら
魁!!男塾〈全20巻〉
激!!極虎一家〈全7巻〉
●村上たかし
ナマケモノが見てた〈全5巻〉
●本宮ひろ志
男一匹ガキ大将〈全7巻〉
硬派銀次郎〈全8巻〉
天地を喰らう〈全4巻〉
俺の空〈全11巻〉
赤龍王〈全5巻〉
さわやか万太郎〈全6巻〉
猛き黄金の国　岩崎弥太郎〈全3巻〉
猛き黄金の国　斎藤道三〈全4巻〉
サラリーマン金太郎〈全20巻〉
●森下裕美
夢幻の如く①～⑦
少年アシベ〈全4巻〉
●作・伊藤智義（①④のみ）
画・森田信吾
栄光なき天才たち〈全4巻〉
●森田まさのり
ろくでなしBLUES〈全25巻〉
ROOKIES〈全14巻〉
●諸星大二郎
暗黒神話
孔子暗黒伝
自選短編集
汝、神になれ鬼になれ
自選短編集　彼方より
妖怪ハンター〈地の巻〉〈天の巻〉〈水の巻〉
●八木教広
エンジェル伝説〈全10巻〉
●矢吹健太朗
BLACK CAT〈全12巻〉
●やまさき拓味
邪馬台幻想記
自選作品集優駿たちの蹄跡〈全4巻〉
●作・大鐘稔彦
画・やまだ哲太
外科医・当麻鉄彦 メスよ輝け!!〈全8巻〉
●弓月　光
ボクの初体験〈全2巻〉
エリート狂走曲〈全4巻〉
ボクの婚約者〈全5巻〉
甘い生活①～⑫
●ゆでたまご
みんなあげちゃう♥〈全13巻〉
キン肉マン〈全18巻〉
闘将!!拉麺男〈全8巻〉
●吉沢やすみ
ど根性ガエル①②
●吉田ひろゆき
Y氏の隣人―傑作100選―〈全8巻〉

コミック文庫HP
http://comic-bunko.shueisha.co.jp/

集英社文庫（コミック版）

こちら葛飾《かつしか》区《く》亀有《かめあり》公園前《こうえんまえ》派出所《はしゅつじょ》 10

1996年12月18日　第1刷
2009年7月31日　第12刷

定価はカバーに表示してあります。

著　者　秋《あき》本《もと》　治《おさむ》

発行者　太田富雄

発行所　株式会社　集英社
東京都千代田区一ツ橋2－5－10
〒101-8050
電話　03（3230）6251（編集部）
03（3230）6393（販売部）
03（3230）6080（読者係）

印　刷　図書印刷株式会社

ISBN4-08-617110-4 C0179

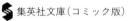